LARGE PRINT
sudoku
EASY TO READ PUZZLES

ARCTURUS

This edition published in 2019 by Arcturus Publishing Limited
26/27 Bickels Yard, 151–153 Bermondsey Street,
London SE1 3HA.

ISBN: 978-1-78888-693-2
AD006725NT

Printed in China

Contents

An Introduction to Sudoku

Each puzzle begins with a grid in which some numbers are already placed:

	9	6			8		3	
		1		4	2			
5						8	1	9
4		7	1	2				3
		8	7		6	5		
2				9	4	6		1
8	7	2						5
			3	5		1		
	3		2			4	6	

You need to work out where the other numbers might fit. The numbers used in a sudoku puzzle are 1, 2, 3, 4, 5, 6, 7, 8 and 9 (0 is never used).

For example, in the top left box the number cannot be 9, 6, 8 or 3 (these numbers are already in the top row); nor 5, 4 or 2 (these numbers are already in the far left column); nor 1 (this number is already in the top left box of nine squares), so the number in the top left square is 7, since that is the only possible remaining number.

A completed puzzle is one where every row, every column and every box contains nine different numbers:

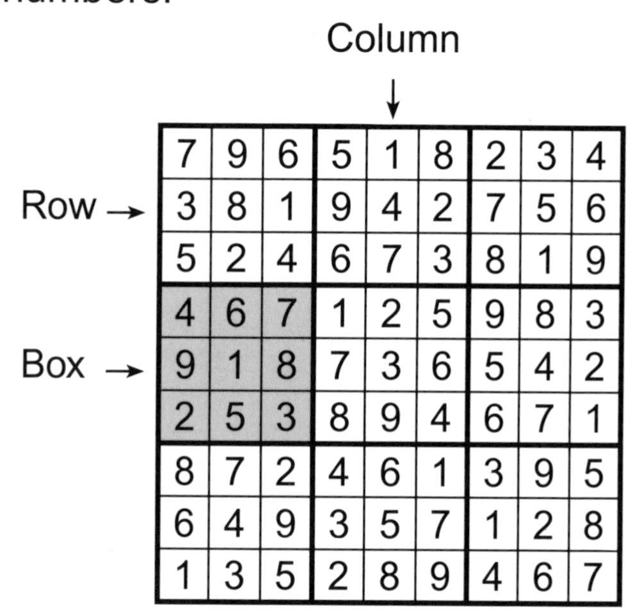

7	9	6	5	1	8	2	3	4
3	8	1	9	4	2	7	5	6
5	2	4	6	7	3	8	1	9
4	6	7	1	2	5	9	8	3
9	1	8	7	3	6	5	4	2
2	5	3	8	9	4	6	7	1
8	7	2	4	6	1	3	9	5
6	4	9	3	5	7	1	2	8
1	3	5	2	8	9	4	6	7

1

1		4	5	9				2
		2			6			
		8		3		1	5	6
2	4		7		3		8	1
	1	6		4		7	9	
8	5		6		9		4	3
7	8	1		2		5		
			8			3		
6				7	5	4		8

★

2

6			2	4			8	3
2		9		8		6		7
	5				1		2	
		2	6		8	4	7	1
		8		2		3		
7	6	5	3		4	2		
	3		8				4	
9		4		3		7		5
1	2			7	5			9

3

4			1		6		9	7
		2		5				6
9	5		7		4		8	
3		4	2		5		1	
	6			7			5	
	7		3		9	6		8
	2		4		7		6	3
1				8		9		
6	9		5		3			2

★

4

6		2	7			3		5
			5	4		9		7
		5	3		8			4
2	9			3	6		5	
	1	6		8		4	9	
	3		4	9			2	6
7			6		1	8		
4		9		2	3			
1		8			4	6		2

5

		8	3	9	6			1
	4		7			6		9
	5	6			8		3	
5	6	2		4	7			3
		1		3		8		
3			9	6		5	2	7
	2		1			3	7	
8		9			4		6	
4			6	5	3	2		

★

6

			8	9	4	7		3
1	4	7		2		9		8
			7		1	6		
	8		2		6			7
	3	5		4		1	6	
2			3		5		8	
		2	5		9			
3		9		6		8	4	5
6		8	4	3	7			

7

	4					6	7	9
2	7			4	3			8
5		1			9	3		
	3			9	2		5	6
4			1		6			7
1	2		5	8			9	
		3	7			8		1
6			9	5			3	2
7	8	2					4	

★

8

2			6		7			3
	3	8		2		9	4	
5		1	9	4		8		
	5				6	1	3	4
	7			5			2	
6	9	4	3				5	
		6		3	5	2		7
	8	5		7		4	6	
9			1		4			5

9

6		7	1		4		9	
		3	9				1	8
	1	9		3	2		4	
		4		5			8	1
5			7	9	8			6
2	9			6		7		
	7		8	2		1	5	
1	8				6	2		
	4		5		7	8		3

★

10

4		7	3		2	8		5
1	5			4			3	7
	8			1			6	
6	1		4		3		8	9
		9	6		1	3		
3	4		9		7		2	1
	2			3			9	
5	9			6			7	3
8		1	2		9	5		6

11

5					4	1	9	2
		2	9	8	7			5
3	6		2				7	
9		3		4			2	
	5		7	3	8		1	
	1			2		8		4
	9				3		4	6
8			4	7	1	9		
4	3	5	6					1

★

12

6	1				8		3	2
	3		7	2	5		4	
2		5			3			9
		9	2		4			7
3	2			7			9	5
1			5		9	8		
7			4			1		3
	5		1	9	7		6	
8	6		3				7	4

13

	6			8	7	5	3	
	5		9			7	2	4
	1	4		3				8
	7			1	8			2
1		5		2		8		6
2			3	5			7	
3				4		9	6	
5	4	7			6		8	
	9	8	2	7			1	

★

14

3	2		4	9		8		6
	4			3	6		5	9
		9	1					3
2				5		9	6	
		5	6	7	4	1		
	7	3		1				4
8					7	6		
7	9		3	8			2	
4		1		6	9		7	8

15

	5	8		1	3	9		
2				6	4			7
7	6	9				3	4	1
		1			5			4
	3		6	8	7		9	
9			2			8		
3	8	5				4	6	9
6			8	3				5
		2	4	5		7	3	

★

16

6			3	5			4	
7				9		3	1	2
4	3				1			
	4	6	8		9	7	2	
1		2		6		5		8
	7	3	1		5	6	9	
			7				8	9
2	8	7		4				3
	1			8	3			6

17

	5		9	4			1	8
1		8		6	2			4
	6				5	3		9
6				1		8	9	
		1	5	7	9	2		
	7	4		2				5
5		2	8				7	
3			7	5		9		2
7	8			3	4		6	

★

18

7			4				5	6
		4	7	1	6	2		
	9	3	8			4	1	
	3		5		7			8
	4	1		6		5	7	
5			2		1		6	
	8	9			4	6	2	
		7	6	5	3	9		
1	6				2			3

19

6	9	4				7	3	8
	5		4	3	9		1	
3					7			4
9			3				2	
		6	5	7	4	8		
	7				1			6
5			9					1
	6		8	2	5		7	
2	8	9				4	6	5

★

20

	4	6	8			3	2	
1	7				9	5		4
9				4	2		6	
4	6	5		9	3			
	8			2			1	
			7	5		6	4	3
	1		2	7				8
8		9	3				5	7
	5	4			1	2	3	

21

		1	2				9	7
	3		8	6				2
	8	5			4	3		
			5	2		1	3	6
	7						4	
5	6	3		1	9			
		8	7			6	1	
4				9	8		7	
9	1				5	2		

★★

22

	2				8	3		1
6		1	9	4				7
					3		6	
9		8	1			4		3
	5			9			7	
3		7			6	2		9
	1		4					
4				7	2	1		5
8		6	5				4	

23

	6	9	3		1	7	5	
1				9				4
		7	8		5	9		
9			5	6	2			3
	8	2				6	9	
3			7	8	9			5
		8	9		6	4		
7				5				8
	1	4	2		8	5	3	

★★

24

		3		9				6
	8		4		5	2	1	
	6		7		2	8		
	5				6	9		1
	1			5			7	
4		2	8				3	
		4	3		1		6	
	7	6	5		4		9	
8				7		1		

25

2	3	8				9	7	1
		4			7	8		
5				9	1			2
		2	4					5
	1		3		8		2	
9					6	7		
4			7	6				8
		3	5			6		
6	5	1				2	3	7

26

	7			4			2	
	2	1	9			4	6	
3	4				2		8	1
				1	3	6		2
		3				8		
9		2	5	7				
7	6		4				1	5
	3	5			8	9	4	
	9			6			7	

27

		6			3	4		9
3		7		1	2			
1			5		6	2		
	4			7	1		6	
	7	1				9	8	
	2		9	6			7	
		5	8		9			3
			6	4		7		1
4		9	1			5		

★★

				1	8	2		4
		8	7		9			1
6		5			4	9		
	2		6	9			8	
	3	6				1	2	
	9			2	1		5	
		7	1			6		5
4			3		6	7		
1		2	9	5				

29

9							5	6
2		5	9	8			4	
	8		5		6		7	
3		6		1	5			
		8	7		3	2		
			2	9		3		4
	4		3		2		8	
	3			4	1	5		9
6	1							7

★★

30

		6		3		1		
5			2		8			6
3	9		7		6		4	5
		3	1	6	2	9		
8	2						6	7
		9	3	8	7	2		
1	3		9		4		8	2
2			6		3			1
		5		2		4		

31

	5		6		3			
	9		8	7	4			
	6			1		4	9	3
5			3		7	9		
	3	7				1	2	
		9	1		5			8
2	8	4		5			6	
			4	6	9		8	
			2		8		1	

★★

32

	2	7	3	6				
5		3					6	1
8		9		2			4	
		4			5			3
2	5		1		8		7	9
9			2			6		
	7			8		9		2
6	1					7		4
				1	3	8	5	

33

	4				3		6	
5	7	6				3	1	4
9				4	5			8
	5		4					2
		7	9		6	1		
3					8		7	
7			1	2				3
1	2	5				6	9	7
	9		5				8	

34

		7	2		3			
		6		8		2	4	3
		2	9	6	4			
2			8		7		9	
	7	3				5	1	
	9		1		5			8
			4	1	2	9		
5	4	9		7		6		
			5		6	8		

35

1				9				4
8	3		1				6	9
2		9			7	3		1
				4	5	1	7	
		8				6		
	1	2	6	3				
9		7	8			5		6
3	5				9		4	2
4				2				7

★★

36

7		2	8	9		3		
	9			2		5		4
8	4	1			6			
	1		9	5				
9	3						5	7
				7	2		1	
			3			4	7	8
6		3		4			2	
		5		8	1	6		9

37

	1	7					4	3
		3		8			6	5
				7	9	2		8
	5		6					1
	6	2	7		8	3	5	
4					2		9	
3		6	9	1				
5	8			6		4		
9	2					1	7	

★★

38

	3	5	2					
1			7			9		2
		9	4	6			7	1
6					2	8	1	
	5		9		8		4	
	1	2	5					3
9	6			3	7	5		
4		8			9			7
					4	6	8	

39

					8		4	
			5	9			7	
9	6	8		2			5	
8		5	3		1	7		4
	1	6				3	9	
2		7	4		9	8		6
	8			4		5	6	1
	7			3	5			
	2		1					

★★

40

	8	7			6	9		
4						3	6	7
	3			1	5			
1	2		3	5				9
	6		2		8		4	
5				7	1		8	3
			9	4			3	
6	5	2						4
		9	5			8	1	

41

	9	3		8				5
		7	1	5		8	2	
					4	6	1	9
6				2	8			
3	2						5	7
			5	3				6
2	1	9	7					
	5	4		1	6	3		
8				9		7	4	

42

8	7				4		6	
5				1	3			
		2				7	5	4
9		1	5	3		6		
4			9		8			2
		3		7	1	5		8
3	9	4				2		
			6	2				5
	6		3				8	1

43

1		4	8	5				
9	3			4		7		
8	2					5	6	
	9		4					5
	4	2	6		3	1	9	
7					2		8	
	5	6					7	1
		1		3			4	9
				6	8	2		3

44

	1		6		4		3	
		6		8		4		
3		4		9		5		8
9		1	2		8	7		4
	4		9		1		8	
8		2	4		5	6		1
1		3		2		8		5
		7		1		9		
	5		8		6		7	

45

		8		9	4		2	
	7	9			6			1
4			2				7	3
			6	1		3	5	7
	2						8	
5	3	6		7	9			
6	4				8			5
7			1			2	9	
	5		4	3		1		

★★

46

1				9	3		2	4
8	4			7		6		
			8			5	9	7
				5	6	3		
	2	8				1	5	
		3	2	1				
3	9	7			4			
		2		6			7	1
6	5		9	2				8

47

		3					1	6
	2	5		1		8		9
			7	9	3			
8	4	1	5				2	
3			8		9			1
	5				1	6	8	7
			9	4	8			
9		2		5		3	7	
1	6					5		

48

					7	2	5	
7	9				4			8
8		4		3	1		9	
	6	8	7					3
		1	6		9	5		
2					5	8	7	
	5		4	2		3		9
4			9				6	1
	3	6	1					

49

		9			7	5		2
8	3				5			
2				4	6	9	7	
5	9				8	3		
	8		1		2		6	
		4	5				9	1
	4	2	7	3				8
			6				1	4
1		6	2			7		

★★

50

	4	2	5		7	9	6	
1				6				7
	7		8		3		4	
9			1	7	8			6
	5	7				8	3	
8			6	3	5			9
	1		7		6		8	
2				8				4
	8	3	9		2	6	1	

51

9	3			6			7	8
		8	4					
	7			9	3	5	1	
5					8	2	9	3
6								4
8	1	9	2					5
	6	4	5	8			2	
					1	3		
2	9			4			5	7

★★

52

	9		2		8	1		
1				7			3	
	2	4	5		6	9		
4	7		1			5		
		8		5		4		
		3			9		2	6
		7	6		5	8	1	
	4			8				9
		1	4		3		6	

53

2	4		5	7				
	9		1		3			6
6			4				7	3
		5		2	4	7		
3		1				2		4
		2	3	5		8		
7	3				9			5
8			6		5		4	
				4	8		9	2

54

	3				2			
4		8			6		2	
2			5	7		3		6
1		7	8			5		9
	6			9			7	
9		4			3	2		1
8		3		2	9			7
	5		4			1		3
			1				8	

55

5	4	6						7
	2		6			9	3	
			2	7		8		
9		4	8	6				2
		5	4		3	7		
6				1	9	3		8
		8		9	6			
	1	3			5		2	
7						5	8	1

★★

56

1		6			4	5		9
		5	6	2	3	8		
	3				1			6
	9				8			3
8		2				7		4
6			1				2	
2			4				8	
		1	8	7	6	4		
7		4	9			3		5

57

		7	6	3	4			
		9	5		8			
		5		1		7	4	8
9			8		3		7	
	3	8				2	1	
	7		1		9			6
2	4	6		9		5		
			2		6	1		
			4	5	7	6		

★★

58

1					4			
6				3		2	4	8
9			6	2				
	9	1	7		5	4	6	
2	7						8	5
	4	8	1		2	3	9	
				7	6			9
8	6	5		1				4
			5					3

59

8				9	6			2
2	7	5				3	9	6
	1				3		7	
9					4		3	
		6	5		7	2		
	2		1					8
	5		8				4	
4	6	8				5	2	3
1			3	4				7

60

5		1	8			9		2
	4		1			5		
2			4	7	5			6
		5			1		7	
7		6				8		3
	9		6			4		
1			5	3	6			8
		7			8		6	
8		3			9	2		4

61

		7	6		5	9		
	5						3	
1			3		2			8
6	9		8		4		7	2
3	7		1		6		4	5
7			4		3			9
	2						8	
		6	5		8	1		

62

		9				6		
4			2		1			9
	3		8		5		4	
1		2	7		8	4		3
3		7	6		4	2		8
	2		5		9		1	
6			3		7			5
		5				7		

63

		5				6		
3		4				7		1
7			2		1			8
	5		9	4	6		7	
	8		3	5	2		1	
9			7		8			4
1		3				9		6
		8				1		

64

		6	3		7	2		
	7		1		2		3	
				9				
	6	3	4		9	7	8	
8				6				9
	4	9	8		1	3	5	
				5				
	8		2		4		1	
		4	7		8	5		

65

		1	7				5	2
2				1			6	
	3	8				4		
7		3	2					
					9	2		4
		5				8	4	
	6			9				3
1	4				8	7		

★★★

66

		8				1		
2			6		7			9
	9		5		3		8	
	3	5	4		6	9	2	
	2	4	1		9	5	6	
	1		2		4		7	
5			7		8			3
		7				4		

67

2			8		7			5
	9	3		1		7	4	
8								6
	4			3			6	
			2		1			
	6			8			5	
6								3
	5	9		2		8	7	
4			9		3			1

68

			7			6		1
				6			4	
			1		3	8		2
9		8	4		1	7		6
	4						8	
6		2	9		5	4		3
7		4	3		6			
	3			5				
8		5			7			

69

			3			6		9
				9			1	
			6		2	8		7
7		4	1		6	9		3
	1						7	
8		9	4		5	2		1
1		3	2		9			
	2			5				
5		7			3			

70

	6		5		2		1	
2			3		6			8
				8				
7	2		6		1		8	4
		6		9		7		
4	9		2		7		6	3
				7				
9			4		3			5
	3		1		5		4	

71

8			7		2			4
	1			8			6	
		4	6		9	1		
1	4						3	2
		3				6		
6	2						5	9
		5	3		1	7		
	6			2			8	
9			8		5			1

72

		1	6		4	9		
				3				
6			9		2			7
2		7	4		8	1		9
	6			5			3	
4		8	1		3	7		2
8			3		9			5
				4				
		4	8		5	2		

73

	8		2		9		5	
		7	6		1	3		
4				3				8
8	1						2	9
		2				7		
6	7						4	3
1				6				5
		3	5		2	8		
	9		8		3		7	

74

		7	4		6	1		
	3		7		2		4	
				9				
	7	1	6		5	3	2	
9				8				4
	2	3	1		9	5	6	
				6				
	8		9		7		5	
		2	5		8	6		

75

	4	9	8	3		7	5	
								3
			9	2				
6				7			1	
	5		6		3		7	
	1			9				5
				6	2			
1								
	7	2		4	1	6	8	

★★★

76

					6			2
			8	1				7
9	1	6		3				8
	3					6		
4		9				5		1
		8					2	
6				2		8	4	9
7				5	8			
3			4					

77

9			6		1			7
6	8			2			3	5
3		6				4		2
	9	1				5	6	
7		8				9		3
1	7			3			2	4
4			7		8			6

78

	3	6		1				
	5					9		
			8					4
		3			2			7
	1	2		5		4	9	
8			4			1		
2					6			
		7					3	
				9		5	1	

79

7		5				6		1
1	3			4			2	9
		3	1		6	9		
6								8
		4	8		2	1		
5	4			1			9	6
2		8				5		3

80

			4				6	
4	1	2		7			9	
				2	9		5	
9						6		
1	8						2	3
		7						4
	5		9	3				
	4			6		8	1	9
	7				8			

81

				2	4		7	
9	7	5		6			2	
			9				1	
6						4		
	8	3				1	9	
		4						7
	6				8			
	2			1		5	4	8
	4		7	3				

★★★

82

2		3		7		6		5
9	1						2	4
	4		5		7		6	
5								1
	3		9		1		7	
8	2						5	7
7		4		3		9		6

83

1			6		3			2
	7						3	
		9	8		5	4		
	4	1	3		8	7	9	
	9	5	2		1	6	8	
		2	5		7	3		
	6						5	
9			1		6			4

84

	2		6				3	8
6			2			5		
9		1					2	
			4					3
		7				4		
8					6			
	5					1		2
		6			8			7
7	3				5		9	

85

6	3			2				
	8		3	7				5
					4	7		
			7			8		
	2			6			1	
		4			9			
		9	5					
1				9	2		6	
				1			2	3

86

		7	2		8	3		
8								6
4		6				5		7
	1		7	3	5		2	
	8		4	1	9		6	
3		4				6		2
1								5
		2	9		6	8		

87

	2						7	
3			4		6			8
1	5						3	6
		2	9	5	7	3		
		8	1	2	4	6		
6	1						9	7
9			3		8			5
	8						6	

88

						3		1
	7				6		4	
				4		5		8
9	3		2					
8				5				4
					7		9	5
1		6		8				
	8		3				2	
5		3						

89

	1				8	7	2	
	8					3	9	
		5		9	4			
		1	8					
6		7				2		8
					3	6		
			9	8		4		
	6	4					8	
	7	9	3				6	

★★★

90

8	2			5			6	4
	7		3		6		9	
	5	1				6	8	
6		2				3		9
	8	9				4	7	
	6		4		7		1	
5	1			8			3	7

91

	7	5	4		9	3	8	
			2	5	3			
		4		8		9		
	1						6	
		9				4		
	8						7	
		6		2		7		
			6	1	8			
	2	8	7		4	1	3	

92

					2			1
3	2	5		4				8
			5	7				6
		8					1	
9		7				3		2
	4					5		
6				9	5			
5				1		8	9	3
4			8					

93

	1			9			6	
		4				3		
6			4		3			2
	4	8	1		7	2	9	
			2		9			
	2	3	5		4	7	1	
8			3		1			5
		9				8		
	5			7			2	

94

		3						
	4	6		9	2			
					8			5
8					1		5	4
		9		4		7		
4	6		5					3
1			2					
			4	7		9	6	
						4		

95

					7			6
	5	9		4				
	2		5	6		4		
3					1			
	4			2			5	
			6					8
		7		1	9		3	
				5		2	9	
1			8					

96

		6				3		
5			3		4			8
	7		5		1		2	
		5	7	1	2	4		
	8						9	
		4	9	8	5	7		
	6		8		7		1	
4			1		9			3
		1				2		

97

8	6						4	3
5		3				8		1
			1		3			
	1		5		2		7	
			6		9			
	4		8		7		3	
			9		4			
2		4				9		6
3	5						1	2

	6	2				1	5	
7	5			3			9	8
		3	4		8	5		
	1						4	
		7	5		1	9		
3	2			5			1	9
	8	4				2	7	

99

	5						6	
		8	6		1	2		
4			3		5			9
	4	6	8		3	5	7	
	9	3	2		7	1	4	
3			5		2			8
		4	7		6	9		
	1						2	

100

			4				7	
		6		7	8			5
1		8		3				
					7		6	
		3		1		9		
	4		2					
				9		3		8
9			3	2		1		
	2				5			

★★★

101

			1	3			8	
3	2	6		4			1	
					6		9	
4						6		
	5	2				7	3	
		1						9
	4		5					
	6			9		1	2	5
	8			7	1			

102

			3			7	5	
			9		4	3	8	
				5				4
	3	9	2		8	1	7	
7								8
	8	4	5		1	9	6	
8				9				
	7	6	4		2			
	9	2			3			

103

			3	9	6			
3	6		5		7		9	2
	7						3	
6	3		8		2		4	9
9								1
1	4		9		3		8	6
	5						2	
4	2		7		9		1	3
			1	2	4			

★★★

104

		5				7		
6	4						2	9
9			7		6			5
	6			5			7	
4			6		3			8
	7			1			9	
3			8		7			2
8	5						4	7
		1				3		

★★★

105

			3		2	9		
	6				9			
2	5			8				
					1	4	7	
	8			2			5	
	2	7	9					
				5			6	3
			6				2	
		1	2		4			

★★★

106

	9		4		1		2	
		1				4		
5				6				9
2		4	1		8	7		5
			6		2			
1		3	7		5	2		6
8				7				2
		6				3		
	3		5		4		8	

107

	4	7	3		6	1	2	
	1		9	2	4		7	
7	8		4		3		5	2
4								1
9	5		7		1		4	6
	7		2	4	9		6	
	9	5	6		7	8	1	

108

7				2				8
			4	5	7			
4	2		6		8		9	5
	4						8	
1								6
	5						7	
3	8		1		6		4	9
			9	3	2			
6				4				1

★★★

109

8			3	6		1	5	
				7				
	2	3				6	7	
			2			9		1
1								2
5		2			9			
	1	4				7	2	
				2				
	9	6		4	7			5

★★★

110

	6		3		8		5	
	4						8	
9		3		1		7		2
4				7				9
			1		5			
6				8				4
3		8		5		2		6
	7						4	
	1		7		2		9	

★★★

111

4			3		5			6
	2			4			1	
		6	8		1	2		
1	3						9	8
		7				1		
2	6						7	3
		9	2		7	5		
	1			3			4	
8			9		4			2

112

		2	7		4			
				1			9	3
					9		4	
			2			7	6	
	8			4			1	
	4	6			5			
	9		5					
4	1			8				
			4		3	5		

113

		9	8		1	2		
1								6
	4		7		2		5	
8			4	7	5			2
	3						9	
5			2	9	3			8
	7		5		9		6	
4								7
		1	3		7	8		

114

5								7
	1	6				4	9	
7			9		4			3
	2			8			5	
8			5		6			1
	6			1			7	
9			4		3			2
	3	4				5	8	
2								6

★★★

115

		8			1			
							5	
				2	5		3	9
9		5			4	7		
	3			5			2	
		6	8			5		4
5	9		1	3				
	7							
			6			4		

116

			4	3				6
6	1	2		8				3
					1			9
	8					4		
7		5				9		1
		4					6	
8			7					
3				9		2	7	4
4				5	6			

★★★

117

		4				2		
	1			5			6	
2			8		3			1
	7	2	3		5	6	4	
			6		4			
	6	8	1		7	5	3	
9			7		8			6
	3			4			9	
		7				8		

★★★

118

4		7				8		5
8	3			1			6	2
		3	4		7	1		
2								7
		5	2		1	6		
1	5			3			4	6
9		8				2		1

★★★

119

3	6						2	9
		8				1		
		7	3		6	8		
	1			4			5	
		2	9		1	4		
	8			2			9	
		5	7		3	6		
		9				5		
1	4						7	3

120

	7		2		4		3	
	9						2	
4		1		5		6		8
		7		2		9		
			3		5			
		9		8		1		
2		4		3		7		6
	8						9	
	5		6		8		1	

★★★

121

	3				1			
	7		6	4				
	4			5		9	7	1
7						6		
	1	3				2	8	
		6						5
8	6	9		3			4	
				2	7		6	
			8				5	

122

9		1		4		7		2
	3						5	
	8		9		5		6	
		8		5		3		
			4		6			
		3		2		1		
	4		2		7		1	
	2						3	
5		9		6		8		7

123

		7	2		1	6		
3				9				7
	5		8		4		9	
4		5				3		9
	1						5	
7		8				1		2
	9		1		6		7	
8				4				6
		2	9		7	5		

124

			2		1			
3	5						2	6
	4	2				5	1	
1			7		4			8
			9		3			
6			8		5			2
	7	6				9	3	
4	2						7	1
			6		9			

★★★

125

	4		1		5		8	
6			8		4			9
				6				
4	6		5		7		9	3
		2		8		5		
3	9		4		6		1	7
				5				
7			6		2			1
	2		9		1		3	

★★★

126

9			1				3	
		1					7	2
	6	5	3			1		
					3		6	
8								4
	5		8					
		7			9	5	4	
2	1					9		
	4				6			3

★★★

127

7				6				9
5		4	3		7	6		2
			2	5	9			
		7				2		
3								8
		9				5		
			4	1	6			
4		2	8		3	7		1
8				2				3

★★★

128

9		2	6		7			
3		8	2		1			
	4			3				
4			3		6	9		5
	8						7	
7		9	5		8			4
				2			3	
			9		3	7		2
			7		4	5		1

★★★

129

5		3		8		1		2
2			9		3			7
8	7						2	1
	5	6				7	4	
3	9						6	8
6			5		7			3
7		9		1		8		4

130

4	5			8			6	7
3			7		4			5
		1				4		
	4			1			2	
			9		6			
	8			2			4	
		9				6		
6			4		2			3
8	1			3			7	2

131

		7					3	
	3			4		1	6	
8			5					
			9		4			5
	2			1			4	
3			2		8			
					7			9
	4	6		2			5	
	1					2		

★★★★

132

					8	2	6	
				6			7	
							3	5
4					7	9		6
		5	8		2	3		
1		9	3					2
3	7							
	9			1				
	2	1	4					

133

	4	9				5		
3		2						
			2		1		6	
				1				3
	5		6		9		7	
1				3				
	6		5		8			
						9		6
		7				2	4	

★★★★

134

	6				9			8
		2	5			3		
	4	3	6					7
						6	5	
7								9
	1	4						
3					7	2	8	
		8			5	7		
6			3				9	

★★★★

135

		8	1					7
1	2							
		6	2			1		
2	5		8			9		
			6		5			
		9			7		8	5
		5			2	3		
							7	1
8					4	6		

136

4		6	2					
	2			7			1	6
			9					5
2					7	5		9
		4				3		
3		5	6					8
8					5			
1	5			6			3	
					3	8		7

137

			2		8		3	
7	9							5
6		3						
				4		1		
	5		3		6		2	
		4		1				
						4		7
2							9	6
	3		7		1			

138

			3				5	
5			2				3	4
	6			7		9		
	3	1			5			
4								8
			9			4	7	
		5		8			4	
8	9				2			7
	1				6			

139

			6					
2		8					4	
		6		4	3			
9				1		4		
7			4		9			1
		2		8				5
			3	7		1		
	7					2		8
					5			

140

9					2	5		
	7		6				1	9
					7	2		
3	2		8	7				
				1	9		2	5
		8	9					
1	4				6		5	
		5	7					8

★★★★

141

			6	2				3
	4	7	1		9			2
	6						9	
			3			5		9
	3						8	
1		6			8			
	1						4	
8			7		5	6	3	
7				1	6			

★★★★

142

					9			
7	2					5		
9			6	5				
	8			1				5
	4		8		5		1	
2				7			3	
				4	6			1
		4					7	2
			3					

143

					8			4
	5		2			1	3	
		4			7			5
	9	5	8	1				
				7	4	6	9	
5			9			8		
	1	8			2		7	
9			7					

★★★★

144

							2	6
	4		2			8		
		2	6			1		
		3	8				6	5
			1		5			
8	5				4	3		
		7			6	5		
		1			9		8	
4	2							

★★★★

145

4			6				9	
2			1					6
	6	1						
8					9	4	7	
			2		7			
	1	7	4					8
						9	6	
7					1			3
	4				5			2

★★★★

146

			5					
			6	9	4			
	3					8		
						3		1
		2		7		9		
6		5						
		4					5	
			2	3	8			
					1			

★★★★

147

	7		1			5		
8		3						
	2		9				6	
5		6	8				4	
			6		7			
	4				5	9		6
	3				9		7	
						3		9
		8			3		5	

148

			1					
			7	9	6			
		5						3
						9	1	
		6		2		4		
	8	3						
9						7		
			5	4	8			
					3			

★★★★

149

	3						7	
2	5		4		7	1		
			3	1		9		
3		4			6			
	9						6	
			9			7		8
		2		4	3			
		6	2		8		9	3
	4						5	

★★★★

150

4				2	8			
								5
					7			
	9	5					3	
	2			1			8	
	6					7	4	
			9					
8								
			5	3				6

151

9								2
			9	1		5		
7	4		3		2	1		
	9	3			8			
5								8
			5			2	6	
		8	4		6		9	5
		4		3	9			
3								7

152

6			8		7			
						9	7	
	2						5	1
		9		8				
3			5		6			2
				9		8		
1	7						3	
	5	6						
			4		2			6

★★★★

153

7		3	4		1		8	
				6	3		4	
2								6
	5	1	7					
8								7
					8	3	6	
5								3
	7		3	9				
	9		6		5	4		2

★★★★

154

			2	3				7
		3					8	9
					4			
9				8			4	
	3		6		1		7	
	1			7				6
			5					
8	9					6		
5				6	2			

★★★★

155

	7			8	9			
8	1		2					
							2	
		9		4				5
6			8		7			2
5				2		3		
	6							
					1		7	3
			4	6			1	

★★★★

156

						5	3	4
			3		8	1		
			6	5			8	
	7			9	5			
2								3
			4	8			9	
	2			1	6			
		5	7		2			
6	8	4						

157

3								4
		5		1	4			
		1	3		8		7	9
	6	3			5			
2								5
			2			8	4	
5	4		6		7	2		
			4	8		7		
9								8

158

		2						1
3		6		7		2		
			5				8	
	5		9		7			
		7		3		4		
			4		8		2	
	9				1			
		5		4		7		6
4						3		

★★★★

159

6			1					
	5	2			4		1	
8			6			2		
				1	3	7	6	
	6	8	2	5				
		3			1			8
	8		4			5	9	
					2			3

★★★★

160

5	3			6			1	
			2			4		
	9							6
			3		4	1		
	6			9			3	
		7	8		6			
2							7	
		8			1			
	7			3			5	9

★★★★

161

			6		8		1	
8		2						
4	9							5
				6		2		
	5		4		1		3	
		6		2				
3							9	8
						1		4
	1		7		5			

162

						7	3	4
			9		5		1	
			4	2		9		
		6		7	3			
8								9
			1	6		5		
		7		1	4			
	2		7		8			
3	1	8						

★★★★

163

			9		8	6		
	5	7					4	
2	8							
				9				2
		4	5		6	1		
9				2				
							5	6
	1					7	8	
		6	3		4			

★★★★

164

						5	8	
2			5		4			
		3				6		9
				8			4	
7			2		6			3
	8			4				
9		5				7		
			3		1			2
	2	6						

★★★★

165

					8		5	2
3								
			9	3				8
	7			4		5		
	3		6		2		4	
		1		9			7	
2				6	1			
								4
8	6		4					

166

	8				9			
3	7							2
6				4		1		
		9		3		5		
			9		8			
		7		1		4		
		1		2				6
4							3	7
			8				1	

167

9		3						
	2				9			1
	7				3		9	
	4		1			2		8
			8		7			
3		8			2		4	
	8		3				5	
2			6				7	
						1		9

★★★★

168

4					1	2		3
	5	2		6				
					8	1	5	
7		6					9	
	2					5		7
	9	4	7					
				9		6	4	
6		3	5					2

★★★★

169

					8			
			5	6	4			
1						7		
	4	8						
		9		2		6		
						1	3	
		5						8
			7	1	9			
			3					

170

3			2			7		
	5	7			1		6	
2			6					
				6	4	9	2	
	2	3	7	5				
					7			4
	3		1			5	8	
		4			6			3

171

		9		3		6		2
	4	2	9					
						7		
	8				5			
		1		7		3		
			4				9	
		6						
					2	9	5	
7		3		1		2		

172

		1						5
			4				8	2
	8	3		5				
4			7					
	2	5		8		9	7	
					2			1
				9		5	3	
7	5				6			
3						8		

173

					3	4		9
	4	8		6				
	2			1				8
			1					5
	6			8			4	
7					9			
4				9			8	
				4		3	2	
1		2	5					

174

	3			9			8	4
	6	5	3					
							2	
		6			1			
	8			4			9	
			5			7		
	4							
					6	1	3	
3	2			8			6	

★★★★★

175

	5							
4					1		9	
			2		7	6		
1								7
	8			6			5	
3								4
		2	4		9			
	6		5					8
							3	

★★★★★

176

9		7				2		
			6		4	1		
	4		7					3
						5		
		2	1	8	5	7		
		3						
2					8		9	
		1	2		7			
		4				6		2

177

1			7			6		
			4		3		2	
		5						
4								5
		7		6		1		
8								9
						7		
	6		2		8			
		3			9			4

178

	5				2	7		
		9			4		3	
6			9					
		2			9	4		
	9		8		5		7	
		8	3			1		
					3			6
	4		2			9		
		1	4				2	

★★★★★

179

2	6			9				
4	3							9
			1			8		
					8	4		
	9			3			6	
		7	5					
		5			4			
1							7	4
				6			2	3

180

	8		5		6	7		
1								
		2		8			3	
8				6	9	3	5	
	3	5	8	2				9
	9			4		5		
								1
		4	3		7		8	

★★★★★

181

	5		2		3	6		
7								
		9		6			4	
4			5	8		9	2	
	9	2		1	4			5
	2			5		8		
								7
		3	9		1		5	

182

		9						
	5					1		
	7		4	1			9	6
9				8		2		7
				2				
3		7		6				1
6	1			7	8		3	
		4					1	
						5		

★★★★★

183

		9					2	
				4				1
		5			6			
		6				5		
	4			1			7	
		3				9		
			3			6		
8				2				
	7					2		

184

5			9				3	
					6	2		
	9		3					7
3					7			9
	7		8		1		4	
8			6					5
7					9		6	
		2	7					
	1				3			4

★★★★★

185

6		5	4					
	3	1			5			
		2		8				
				2	3		6	9
4								7
8	9		7	1				
				5		2		
			9			5	7	
					6	9		1

★★★★★

186

	2							
			8		6	3		9
		3		5				
9								
	1			2			3	
								7
				1		5		
8		6	9		7			
							4	

★★★★★

187

8			9				7	
				5		3	4	
							2	
1					7			
	6			2			5	
			8					9
	4							
	5	2		6				
	8				3			7

188

		8						
	9	7		2				
			4	5				1
					3			5
9		2		8		6		4
4			1					
3				7	9			
				6		2	8	
						7		

★★★★★

189

						1		
5	7							
		2		3			8	
2		1			5			
		8				9		
			6			3		7
	9			1		4		
							7	6
		4						

★★★★★

190

5			6			3		2
	2				8	4		
6								9
		2		1	9			
3								7
			4	7		5		
4								8
		7	3				1	
8		9			5			4

★★★★★

191

2				5		7		
			4		3			9
	1							
	6						3	5
				1				
8	4						2	
							6	
3			8		7			
		5		9				1

192

				2		6	1	
5				8	9			
						8		
3			4					
9		6		1		2		3
					5			7
		1						
			3	7				4
	9	8		6				

★★★★★

193

	9		6				7	5
	6						2	
		7			8			4
7				1	2			
	5						3	
			4	3				9
3			5			1		
	4						8	
2	8				9		4	

194

		5			6			
				4			7	9
								3
		8	1		4			
9				7				4
			9		5	2		
7								
3	6			9				
			8			1		

★★★★★

195

3	8			6				
				4	2	7		
9								
		1			5			
6		8		9		2		3
			7			4		
								1
		5	4	1				
				3			9	8

★★★★★

196

2		9		1				
		8		7			2	
			4				3	9
	5		3					
		1		2		9		
					7		6	
8	7				6			
	9			3		2		
				9		8		4

★★★★★

197

	9		8		4			
				5				
7						1	2	
								8
		6		2		3		
5								
	8	1						4
				6				
			3		7		5	

★★★★★

198

2	1			3				
5								
8					9	6		
			8			7		
3				1				2
		4			6			
		8	7					6
								1
				2			9	5

★★★★★

199

								2
				6			5	8
		9			3	6		
		4	9					
8		3		2		5		6
					1	7		
		8	4			1		
5	2			8				
7								

200

4		1		2		3	7	
					7		9	
		3						
			9				3	
		2		4		8		
	7				6			
						4		
	6		5					
	3	7		8		2		1

★★★★★

201

				7		5		9
	5			8				1
	4	9	2					
	3				8			
9				5				7
			4				6	
					3	1	8	
5				4			9	
1		2		9				

1

1	6	4	5	9	7	8	3	2
5	3	2	1	8	6	9	7	4
9	7	8	4	3	2	1	5	6
2	4	9	7	5	3	6	8	1
3	1	6	2	4	8	7	9	5
8	5	7	6	1	9	2	4	3
7	8	1	3	2	4	5	6	9
4	9	5	8	6	1	3	2	7
6	2	3	9	7	5	4	1	8

2

6	7	1	2	4	9	5	8	3
2	4	9	5	8	3	6	1	7
8	5	3	7	6	1	9	2	4
3	9	2	6	5	8	4	7	1
4	1	8	9	2	7	3	5	6
7	6	5	3	1	4	2	9	8
5	3	7	8	9	6	1	4	2
9	8	4	1	3	2	7	6	5
1	2	6	4	7	5	8	3	9

3

4	3	8	1	2	6	5	9	7
7	1	2	9	5	8	4	3	6
9	5	6	7	3	4	2	8	1
3	8	4	2	6	5	7	1	9
2	6	9	8	7	1	3	5	4
5	7	1	3	4	9	6	2	8
8	2	5	4	9	7	1	6	3
1	4	3	6	8	2	9	7	5
6	9	7	5	1	3	8	4	2

4

6	4	2	7	1	9	3	8	5
3	8	1	5	4	2	9	6	7
9	7	5	3	6	8	2	1	4
2	9	4	1	3	6	7	5	8
5	1	6	2	8	7	4	9	3
8	3	7	4	9	5	1	2	6
7	2	3	6	5	1	8	4	9
4	6	9	8	2	3	5	7	1
1	5	8	9	7	4	6	3	2

5

2	7	8	3	9	6	4	5	1
1	4	3	7	2	5	6	8	9
9	5	6	4	1	8	7	3	2
5	6	2	8	4	7	9	1	3
7	9	1	5	3	2	8	4	6
3	8	4	9	6	1	5	2	7
6	2	5	1	8	9	3	7	4
8	3	9	2	7	4	1	6	5
4	1	7	6	5	3	2	9	8

6

5	2	6	8	9	4	7	1	3
1	4	7	6	2	3	9	5	8
8	9	3	7	5	1	6	2	4
9	8	4	2	1	6	5	3	7
7	3	5	9	4	8	1	6	2
2	6	1	3	7	5	4	8	9
4	1	2	5	8	9	3	7	6
3	7	9	1	6	2	8	4	5
6	5	8	4	3	7	2	9	1

7

3	4	8	2	1	5	6	7	9
2	7	9	6	4	3	5	1	8
5	6	1	8	7	9	3	2	4
8	3	7	4	9	2	1	5	6
4	9	5	1	3	6	2	8	7
1	2	6	5	8	7	4	9	3
9	5	3	7	2	4	8	6	1
6	1	4	9	5	8	7	3	2
7	8	2	3	6	1	9	4	5

8

2	4	9	6	8	7	5	1	3
7	3	8	5	2	1	9	4	6
5	6	1	9	4	3	8	7	2
8	5	2	7	9	6	1	3	4
1	7	3	4	5	8	6	2	9
6	9	4	3	1	2	7	5	8
4	1	6	8	3	5	2	9	7
3	8	5	2	7	9	4	6	1
9	2	7	1	6	4	3	8	5

9

6	5	7	1	8	4	3	9	2
4	2	3	9	7	5	6	1	8
8	1	9	6	3	2	5	4	7
7	6	4	2	5	3	9	8	1
5	3	1	7	9	8	4	2	6
2	9	8	4	6	1	7	3	5
3	7	6	8	2	9	1	5	4
1	8	5	3	4	6	2	7	9
9	4	2	5	1	7	8	6	3

10

4	6	7	3	9	2	8	1	5
1	5	2	8	4	6	9	3	7
9	8	3	7	1	5	4	6	2
6	1	5	4	2	3	7	8	9
2	7	9	6	8	1	3	5	4
3	4	8	9	5	7	6	2	1
7	2	6	5	3	4	1	9	8
5	9	4	1	6	8	2	7	3
8	3	1	2	7	9	5	4	6

11

5	7	8	3	6	4	1	9	2
1	4	2	9	8	7	3	6	5
3	6	9	2	1	5	4	7	8
9	8	3	1	4	6	5	2	7
2	5	4	7	3	8	6	1	9
6	1	7	5	2	9	8	3	4
7	9	1	8	5	3	2	4	6
8	2	6	4	7	1	9	5	3
4	3	5	6	9	2	7	8	1

12

6	1	7	9	4	8	5	3	2
9	3	8	7	2	5	6	4	1
2	4	5	6	1	3	7	8	9
5	8	9	2	6	4	3	1	7
3	2	6	8	7	1	4	9	5
1	7	4	5	3	9	8	2	6
7	9	2	4	8	6	1	5	3
4	5	3	1	9	7	2	6	8
8	6	1	3	5	2	9	7	4

13

9	6	2	4	8	7	5	3	1
8	5	3	9	6	1	7	2	4
7	1	4	5	3	2	6	9	8
4	7	9	6	1	8	3	5	2
1	3	5	7	2	9	8	4	6
2	8	6	3	5	4	1	7	9
3	2	1	8	4	5	9	6	7
5	4	7	1	9	6	2	8	3
6	9	8	2	7	3	4	1	5

14

3	2	7	4	9	5	8	1	6
1	4	8	7	3	6	2	5	9
5	6	9	1	2	8	7	4	3
2	1	4	8	5	3	9	6	7
9	8	5	6	7	4	1	3	2
6	7	3	9	1	2	5	8	4
8	3	2	5	4	7	6	9	1
7	9	6	3	8	1	4	2	5
4	5	1	2	6	9	3	7	8

15

4	5	8	7	1	3	9	2	6
2	1	3	9	6	4	5	8	7
7	6	9	5	2	8	3	4	1
8	2	1	3	9	5	6	7	4
5	3	4	6	8	7	1	9	2
9	7	6	2	4	1	8	5	3
3	8	5	1	7	2	4	6	9
6	4	7	8	3	9	2	1	5
1	9	2	4	5	6	7	3	8

16

6	2	1	3	5	8	9	4	7
7	5	8	6	9	4	3	1	2
4	3	9	2	7	1	8	6	5
5	4	6	8	3	9	7	2	1
1	9	2	4	6	7	5	3	8
8	7	3	1	2	5	6	9	4
3	6	5	7	1	2	4	8	9
2	8	7	9	4	6	1	5	3
9	1	4	5	8	3	2	7	6

17

2	5	3	9	4	7	6	1	8
1	9	8	3	6	2	7	5	4
4	6	7	1	8	5	3	2	9
6	2	5	4	1	3	8	9	7
8	3	1	5	7	9	2	4	6
9	7	4	6	2	8	1	3	5
5	1	2	8	9	6	4	7	3
3	4	6	7	5	1	9	8	2
7	8	9	2	3	4	5	6	1

18

7	1	2	4	3	9	8	5	6
8	5	4	7	1	6	2	3	9
6	9	3	8	2	5	4	1	7
2	3	6	5	4	7	1	9	8
9	4	1	3	6	8	5	7	2
5	7	8	2	9	1	3	6	4
3	8	9	1	7	4	6	2	5
4	2	7	6	5	3	9	8	1
1	6	5	9	8	2	7	4	3

19

6	9	4	1	5	2	7	3	8
7	5	8	4	3	9	6	1	2
3	1	2	6	8	7	9	5	4
9	4	5	3	6	8	1	2	7
1	2	6	5	7	4	8	9	3
8	7	3	2	9	1	5	4	6
5	3	7	9	4	6	2	8	1
4	6	1	8	2	5	3	7	9
2	8	9	7	1	3	4	6	5

20

5	4	6	8	1	7	3	2	9
1	7	2	6	3	9	5	8	4
9	3	8	5	4	2	7	6	1
4	6	5	1	9	3	8	7	2
3	8	7	4	2	6	9	1	5
2	9	1	7	5	8	6	4	3
6	1	3	2	7	5	4	9	8
8	2	9	3	6	4	1	5	7
7	5	4	9	8	1	2	3	6

21

6	4	1	2	5	3	8	9	7
7	3	9	8	6	1	4	5	2
2	8	5	9	7	4	3	6	1
8	9	4	5	2	7	1	3	6
1	7	2	3	8	6	9	4	5
5	6	3	4	1	9	7	2	8
3	5	8	7	4	2	6	1	9
4	2	6	1	9	8	5	7	3
9	1	7	6	3	5	2	8	4

22

5	2	4	7	6	8	3	9	1
6	3	1	9	4	5	8	2	7
7	8	9	2	1	3	5	6	4
9	6	8	1	2	7	4	5	3
1	5	2	3	9	4	6	7	8
3	4	7	8	5	6	2	1	9
2	1	5	4	8	9	7	3	6
4	9	3	6	7	2	1	8	5
8	7	6	5	3	1	9	4	2

23

8	6	9	3	4	1	7	5	2
1	2	5	6	9	7	3	8	4
4	3	7	8	2	5	9	1	6
9	7	1	5	6	2	8	4	3
5	8	2	4	1	3	6	9	7
3	4	6	7	8	9	1	2	5
2	5	8	9	3	6	4	7	1
7	9	3	1	5	4	2	6	8
6	1	4	2	7	8	5	3	9

24

2	4	3	1	9	8	7	5	6
7	8	9	4	6	5	2	1	3
5	6	1	7	3	2	8	4	9
3	5	7	2	4	6	9	8	1
6	1	8	9	5	3	4	7	2
4	9	2	8	1	7	6	3	5
9	2	4	3	8	1	5	6	7
1	7	6	5	2	4	3	9	8
8	3	5	6	7	9	1	2	4

25

2	3	8	6	4	5	9	7	1
1	9	4	2	3	7	8	5	6
5	6	7	8	9	1	3	4	2
3	8	2	4	7	9	1	6	5
7	1	6	3	5	8	4	2	9
9	4	5	1	2	6	7	8	3
4	2	9	7	6	3	5	1	8
8	7	3	5	1	2	6	9	4
6	5	1	9	8	4	2	3	7

26

8	7	6	3	4	1	5	2	9
5	2	1	9	8	7	4	6	3
3	4	9	6	5	2	7	8	1
4	5	7	8	1	3	6	9	2
6	1	3	2	9	4	8	5	7
9	8	2	5	7	6	1	3	4
7	6	8	4	3	9	2	1	5
1	3	5	7	2	8	9	4	6
2	9	4	1	6	5	3	7	8

27

2	5	6	7	8	3	4	1	9
3	9	7	4	1	2	8	5	6
1	8	4	5	9	6	2	3	7
9	4	8	2	7	1	3	6	5
6	7	1	3	5	4	9	8	2
5	2	3	9	6	8	1	7	4
7	1	5	8	2	9	6	4	3
8	3	2	6	4	5	7	9	1
4	6	9	1	3	7	5	2	8

28

9	7	3	5	1	8	2	6	4
2	4	8	7	6	9	5	3	1
6	1	5	2	3	4	9	7	8
5	2	1	6	9	3	4	8	7
8	3	6	4	7	5	1	2	9
7	9	4	8	2	1	3	5	6
3	8	7	1	4	2	6	9	5
4	5	9	3	8	6	7	1	2
1	6	2	9	5	7	8	4	3

29

9	7	3	1	2	4	8	5	6
2	6	5	9	8	7	1	4	3
1	8	4	5	3	6	9	7	2
3	2	6	4	1	5	7	9	8
4	9	8	7	6	3	2	1	5
7	5	1	2	9	8	3	6	4
5	4	9	3	7	2	6	8	1
8	3	7	6	4	1	5	2	9
6	1	2	8	5	9	4	3	7

30

7	8	6	4	3	5	1	2	9
5	1	4	2	9	8	7	3	6
3	9	2	7	1	6	8	4	5
4	7	3	1	6	2	9	5	8
8	2	1	5	4	9	3	6	7
6	5	9	3	8	7	2	1	4
1	3	7	9	5	4	6	8	2
2	4	8	6	7	3	5	9	1
9	6	5	8	2	1	4	7	3

31

4	5	2	6	9	3	8	7	1
1	9	3	8	7	4	6	5	2
7	6	8	5	1	2	4	9	3
5	2	1	3	8	7	9	4	6
8	3	7	9	4	6	1	2	5
6	4	9	1	2	5	7	3	8
2	8	4	7	5	1	3	6	9
3	1	5	4	6	9	2	8	7
9	7	6	2	3	8	5	1	4

32

1	2	7	3	6	4	5	9	8
5	4	3	8	7	9	2	6	1
8	6	9	5	2	1	3	4	7
7	8	4	6	9	5	1	2	3
2	5	6	1	3	8	4	7	9
9	3	1	2	4	7	6	8	5
3	7	5	4	8	6	9	1	2
6	1	8	9	5	2	7	3	4
4	9	2	7	1	3	8	5	6

33

8	4	2	7	1	3	5	6	9
5	7	6	8	9	2	3	1	4
9	3	1	6	4	5	7	2	8
6	5	9	4	7	1	8	3	2
2	8	7	9	3	6	1	4	5
3	1	4	2	5	8	9	7	6
7	6	8	1	2	9	4	5	3
1	2	5	3	8	4	6	9	7
4	9	3	5	6	7	2	8	1

34

4	8	7	2	5	3	1	6	9
9	5	6	7	8	1	2	4	3
1	3	2	9	6	4	7	8	5
2	1	5	8	3	7	4	9	6
8	7	3	6	4	9	5	1	2
6	9	4	1	2	5	3	7	8
3	6	8	4	1	2	9	5	7
5	4	9	3	7	8	6	2	1
7	2	1	5	9	6	8	3	4

35

1	7	5	3	9	6	2	8	4
8	3	4	1	5	2	7	6	9
2	6	9	4	8	7	3	5	1
6	9	3	2	4	5	1	7	8
5	4	8	9	7	1	6	2	3
7	1	2	6	3	8	4	9	5
9	2	7	8	1	4	5	3	6
3	5	1	7	6	9	8	4	2
4	8	6	5	2	3	9	1	7

36

7	5	2	8	9	4	3	6	1
3	9	6	1	2	7	5	8	4
8	4	1	5	3	6	7	9	2
2	1	7	9	5	3	8	4	6
9	3	4	6	1	8	2	5	7
5	6	8	4	7	2	9	1	3
1	2	9	3	6	5	4	7	8
6	8	3	7	4	9	1	2	5
4	7	5	2	8	1	6	3	9

37

8	1	7	5	2	6	9	4	3
2	9	3	4	8	1	7	6	5
6	4	5	3	7	9	2	1	8
7	5	9	6	4	3	8	2	1
1	6	2	7	9	8	3	5	4
4	3	8	1	5	2	6	9	7
3	7	6	9	1	4	5	8	2
5	8	1	2	6	7	4	3	9
9	2	4	8	3	5	1	7	6

38

7	3	5	2	9	1	4	6	8
1	4	6	7	8	3	9	5	2
2	8	9	4	6	5	3	7	1
6	9	4	3	7	2	8	1	5
3	5	7	9	1	8	2	4	6
8	1	2	5	4	6	7	9	3
9	6	1	8	3	7	5	2	4
4	2	8	6	5	9	1	3	7
5	7	3	1	2	4	6	8	9

39

7	5	3	6	1	8	2	4	9
1	4	2	5	9	3	6	7	8
9	6	8	7	2	4	1	5	3
8	9	5	3	6	1	7	2	4
4	1	6	8	7	2	3	9	5
2	3	7	4	5	9	8	1	6
3	8	9	2	4	7	5	6	1
6	7	1	9	3	5	4	8	2
5	2	4	1	8	6	9	3	7

40

2	8	7	4	3	6	9	5	1
4	1	5	8	2	9	3	6	7
9	3	6	7	1	5	4	2	8
1	2	8	3	5	4	6	7	9
7	6	3	2	9	8	1	4	5
5	9	4	6	7	1	2	8	3
8	7	1	9	4	2	5	3	6
6	5	2	1	8	3	7	9	4
3	4	9	5	6	7	8	1	2

41

1	9	3	6	8	2	4	7	5
4	6	7	1	5	9	8	2	3
5	8	2	3	7	4	6	1	9
6	7	5	9	2	8	1	3	4
3	2	8	4	6	1	9	5	7
9	4	1	5	3	7	2	8	6
2	1	9	7	4	3	5	6	8
7	5	4	8	1	6	3	9	2
8	3	6	2	9	5	7	4	1

42

8	7	9	2	5	4	1	6	3
5	4	6	7	1	3	8	2	9
1	3	2	8	9	6	7	5	4
9	8	1	5	3	2	6	4	7
4	5	7	9	6	8	3	1	2
6	2	3	4	7	1	5	9	8
3	9	4	1	8	5	2	7	6
7	1	8	6	2	9	4	3	5
2	6	5	3	4	7	9	8	1

43

1	6	4	8	5	7	9	3	2
9	3	5	2	4	6	7	1	8
8	2	7	3	1	9	5	6	4
6	9	8	4	7	1	3	2	5
5	4	2	6	8	3	1	9	7
7	1	3	5	9	2	4	8	6
3	5	6	9	2	4	8	7	1
2	8	1	7	3	5	6	4	9
4	7	9	1	6	8	2	5	3

44

7	1	8	6	5	4	2	3	9
5	9	6	3	8	2	4	1	7
3	2	4	1	9	7	5	6	8
9	3	1	2	6	8	7	5	4
6	4	5	9	7	1	3	8	2
8	7	2	4	3	5	6	9	1
1	6	3	7	2	9	8	4	5
4	8	7	5	1	3	9	2	6
2	5	9	8	4	6	1	7	3

45

3	1	8	7	9	4	5	2	6
2	7	9	3	5	6	8	4	1
4	6	5	2	8	1	9	7	3
8	9	4	6	1	2	3	5	7
1	2	7	5	4	3	6	8	9
5	3	6	8	7	9	4	1	2
6	4	1	9	2	8	7	3	5
7	8	3	1	6	5	2	9	4
9	5	2	4	3	7	1	6	8

46

1	7	5	6	9	3	8	2	4
8	4	9	5	7	2	6	1	3
2	3	6	8	4	1	5	9	7
9	1	4	7	5	6	3	8	2
7	2	8	4	3	9	1	5	6
5	6	3	2	1	8	7	4	9
3	9	7	1	8	4	2	6	5
4	8	2	3	6	5	9	7	1
6	5	1	9	2	7	4	3	8

47

4	9	3	2	8	5	7	1	6
7	2	5	6	1	4	8	3	9
6	1	8	7	9	3	2	4	5
8	4	1	5	6	7	9	2	3
3	7	6	8	2	9	4	5	1
2	5	9	4	3	1	6	8	7
5	3	7	9	4	8	1	6	2
9	8	2	1	5	6	3	7	4
1	6	4	3	7	2	5	9	8

48

6	1	3	8	9	7	2	5	4
7	9	5	2	6	4	1	3	8
8	2	4	5	3	1	6	9	7
5	6	8	7	4	2	9	1	3
3	7	1	6	8	9	5	4	2
2	4	9	3	1	5	8	7	6
1	5	7	4	2	6	3	8	9
4	8	2	9	5	3	7	6	1
9	3	6	1	7	8	4	2	5

49

4	6	9	3	1	7	5	8	2
8	3	7	9	2	5	1	4	6
2	1	5	8	4	6	9	7	3
5	9	1	4	6	8	3	2	7
7	8	3	1	9	2	4	6	5
6	2	4	5	7	3	8	9	1
9	4	2	7	3	1	6	5	8
3	7	8	6	5	9	2	1	4
1	5	6	2	8	4	7	3	9

50

3	4	2	5	1	7	9	6	8
1	9	8	2	6	4	3	5	7
5	7	6	8	9	3	1	4	2
9	3	4	1	7	8	5	2	6
6	5	7	4	2	9	8	3	1
8	2	1	6	3	5	4	7	9
4	1	9	7	5	6	2	8	3
2	6	5	3	8	1	7	9	4
7	8	3	9	4	2	6	1	5

51

9	3	2	1	6	5	4	7	8
1	5	8	4	7	2	6	3	9
4	7	6	8	9	3	5	1	2
5	4	7	6	1	8	2	9	3
6	2	3	7	5	9	1	8	4
8	1	9	2	3	4	7	6	5
3	6	4	5	8	7	9	2	1
7	8	5	9	2	1	3	4	6
2	9	1	3	4	6	8	5	7

52

7	9	6	2	3	8	1	4	5
1	8	5	9	7	4	6	3	2
3	2	4	5	1	6	9	7	8
4	7	9	1	6	2	5	8	3
2	6	8	3	5	7	4	9	1
5	1	3	8	4	9	7	2	6
9	3	7	6	2	5	8	1	4
6	4	2	7	8	1	3	5	9
8	5	1	4	9	3	2	6	7

53

2	4	3	5	7	6	9	1	8
5	9	7	1	8	3	4	2	6
6	1	8	4	9	2	5	7	3
9	6	5	8	2	4	7	3	1
3	8	1	9	6	7	2	5	4
4	7	2	3	5	1	8	6	9
7	3	4	2	1	9	6	8	5
8	2	9	6	3	5	1	4	7
1	5	6	7	4	8	3	9	2

54

5	3	6	9	4	2	7	1	8
4	7	8	3	1	6	9	2	5
2	9	1	5	7	8	3	4	6
1	2	7	8	6	4	5	3	9
3	6	5	2	9	1	8	7	4
9	8	4	7	5	3	2	6	1
8	1	3	6	2	9	4	5	7
6	5	2	4	8	7	1	9	3
7	4	9	1	3	5	6	8	2

55

5	4	6	9	3	8	2	1	7
8	2	7	6	5	1	9	3	4
3	9	1	2	7	4	8	6	5
9	3	4	8	6	7	1	5	2
1	8	5	4	2	3	7	9	6
6	7	2	5	1	9	3	4	8
2	5	8	1	9	6	4	7	3
4	1	3	7	8	5	6	2	9
7	6	9	3	4	2	5	8	1

56

1	2	6	7	8	4	5	3	9
9	7	5	6	2	3	8	4	1
4	3	8	5	9	1	2	7	6
5	9	7	2	4	8	6	1	3
8	1	2	3	6	9	7	5	4
6	4	3	1	5	7	9	2	8
2	6	9	4	3	5	1	8	7
3	5	1	8	7	6	4	9	2
7	8	4	9	1	2	3	6	5

57

1	8	7	6	3	4	9	5	2
4	2	9	5	7	8	3	6	1
3	6	5	9	1	2	7	4	8
9	1	2	8	6	3	4	7	5
6	3	8	7	4	5	2	1	9
5	7	4	1	2	9	8	3	6
2	4	6	3	9	1	5	8	7
7	5	3	2	8	6	1	9	4
8	9	1	4	5	7	6	2	3

58

1	3	2	8	5	4	9	7	6
6	5	7	9	3	1	2	4	8
9	8	4	6	2	7	5	3	1
3	9	1	7	8	5	4	6	2
2	7	6	4	9	3	1	8	5
5	4	8	1	6	2	3	9	7
4	1	3	2	7	6	8	5	9
8	6	5	3	1	9	7	2	4
7	2	9	5	4	8	6	1	3

59

8	3	4	7	9	6	1	5	2
2	7	5	4	1	8	3	9	6
6	1	9	2	5	3	8	7	4
9	8	1	6	2	4	7	3	5
3	4	6	5	8	7	2	1	9
5	2	7	1	3	9	4	6	8
7	5	3	8	6	2	9	4	1
4	6	8	9	7	1	5	2	3
1	9	2	3	4	5	6	8	7

60

5	7	1	8	6	3	9	4	2
6	4	8	1	9	2	5	3	7
2	3	9	4	7	5	1	8	6
4	8	5	3	2	1	6	7	9
7	1	6	9	5	4	8	2	3
3	9	2	6	8	7	4	1	5
1	2	4	5	3	6	7	9	8
9	5	7	2	4	8	3	6	1
8	6	3	7	1	9	2	5	4

61

2	3	7	6	8	5	9	1	4
8	5	4	7	1	9	2	3	6
1	6	9	3	4	2	7	5	8
6	9	1	8	5	4	3	7	2
4	8	5	2	3	7	6	9	1
3	7	2	1	9	6	8	4	5
7	1	8	4	2	3	5	6	9
5	2	3	9	6	1	4	8	7
9	4	6	5	7	8	1	2	3

62

5	1	9	4	7	3	6	8	2
4	7	8	2	6	1	3	5	9
2	3	6	8	9	5	1	4	7
1	9	2	7	5	8	4	6	3
8	6	4	9	3	2	5	7	1
3	5	7	6	1	4	2	9	8
7	2	3	5	4	9	8	1	6
6	4	1	3	8	7	9	2	5
9	8	5	1	2	6	7	3	4

63

8	1	5	4	7	9	6	3	2
3	2	4	8	6	5	7	9	1
7	9	6	2	3	1	5	4	8
2	5	1	9	4	6	8	7	3
4	3	9	1	8	7	2	6	5
6	8	7	3	5	2	4	1	9
9	6	2	7	1	8	3	5	4
1	7	3	5	2	4	9	8	6
5	4	8	6	9	3	1	2	7

64

1	5	6	3	8	7	2	9	4
9	7	8	1	4	2	6	3	5
4	3	2	6	9	5	1	7	8
5	6	3	4	2	9	7	8	1
8	1	7	5	6	3	4	2	9
2	4	9	8	7	1	3	5	6
7	2	1	9	5	6	8	4	3
6	8	5	2	3	4	9	1	7
3	9	4	7	1	8	5	6	2

65

4	9	1	7	8	6	3	5	2
2	5	7	3	1	4	9	6	8
6	3	8	9	2	5	4	7	1
7	8	3	2	4	1	6	9	5
9	2	4	6	5	3	1	8	7
5	1	6	8	7	9	2	3	4
3	7	5	1	6	2	8	4	9
8	6	2	4	9	7	5	1	3
1	4	9	5	3	8	7	2	6

66

3	7	8	9	4	2	1	5	6
2	5	1	6	8	7	3	4	9
4	9	6	5	1	3	2	8	7
8	3	5	4	7	6	9	2	1
1	6	9	8	2	5	7	3	4
7	2	4	1	3	9	5	6	8
9	1	3	2	6	4	8	7	5
5	4	2	7	9	8	6	1	3
6	8	7	3	5	1	4	9	2

67

2	1	6	8	4	7	9	3	5
5	9	3	6	1	2	7	4	8
8	7	4	3	9	5	2	1	6
7	4	8	5	3	9	1	6	2
9	3	5	2	6	1	4	8	7
1	6	2	7	8	4	3	5	9
6	2	1	4	7	8	5	9	3
3	5	9	1	2	6	8	7	4
4	8	7	9	5	3	6	2	1

68

4	8	3	7	2	9	6	5	1
2	1	7	5	6	8	3	4	9
5	9	6	1	4	3	8	7	2
9	5	8	4	3	1	7	2	6
3	4	1	6	7	2	9	8	5
6	7	2	9	8	5	4	1	3
7	2	4	3	1	6	5	9	8
1	3	9	8	5	4	2	6	7
8	6	5	2	9	7	1	3	4

69

2	7	1	3	8	4	6	5	9
3	6	8	5	9	7	4	1	2
9	4	5	6	1	2	8	3	7
7	5	4	1	2	6	9	8	3
6	1	2	9	3	8	5	7	4
8	3	9	4	7	5	2	6	1
1	8	3	2	6	9	7	4	5
4	2	6	7	5	1	3	9	8
5	9	7	8	4	3	1	2	6

70

8	6	9	5	4	2	3	1	7
2	7	4	3	1	6	5	9	8
1	5	3	7	8	9	4	2	6
7	2	5	6	3	1	9	8	4
3	1	6	8	9	4	7	5	2
4	9	8	2	5	7	1	6	3
5	4	2	9	7	8	6	3	1
9	8	1	4	6	3	2	7	5
6	3	7	1	2	5	8	4	9

71

8	3	6	7	1	2	5	9	4
7	1	9	5	8	4	2	6	3
2	5	4	6	3	9	1	7	8
1	4	7	9	5	6	8	3	2
5	9	3	2	4	8	6	1	7
6	2	8	1	7	3	4	5	9
4	8	5	3	9	1	7	2	6
3	6	1	4	2	7	9	8	5
9	7	2	8	6	5	3	4	1

72

5	8	1	6	7	4	9	2	3
7	9	2	5	3	1	6	4	8
6	4	3	9	8	2	5	1	7
2	3	7	4	6	8	1	5	9
1	6	9	2	5	7	8	3	4
4	5	8	1	9	3	7	6	2
8	1	6	3	2	9	4	7	5
9	2	5	7	4	6	3	8	1
3	7	4	8	1	5	2	9	6

73

3	8	1	2	4	9	6	5	7
2	5	7	6	8	1	3	9	4
4	6	9	7	3	5	2	1	8
8	1	4	3	7	6	5	2	9
9	3	2	1	5	4	7	8	6
6	7	5	9	2	8	1	4	3
1	2	8	4	6	7	9	3	5
7	4	3	5	9	2	8	6	1
5	9	6	8	1	3	4	7	2

74

2	9	7	4	3	6	1	8	5
1	3	8	7	5	2	9	4	6
6	5	4	8	9	1	2	3	7
8	7	1	6	4	5	3	2	9
9	6	5	2	8	3	7	1	4
4	2	3	1	7	9	5	6	8
5	1	9	3	6	4	8	7	2
3	8	6	9	2	7	4	5	1
7	4	2	5	1	8	6	9	3

75

2	4	9	8	3	6	7	5	1
7	8	6	1	5	4	2	9	3
5	3	1	9	2	7	8	4	6
6	2	3	4	7	5	9	1	8
9	5	8	6	1	3	4	7	2
4	1	7	2	9	8	3	6	5
8	9	5	7	6	2	1	3	4
1	6	4	3	8	9	5	2	7
3	7	2	5	4	1	6	8	9

76

8	7	5	9	4	6	3	1	2
2	4	3	8	1	5	9	6	7
9	1	6	7	3	2	4	5	8
5	3	7	2	8	1	6	9	4
4	2	9	6	7	3	5	8	1
1	6	8	5	9	4	7	2	3
6	5	1	3	2	7	8	4	9
7	9	4	1	5	8	2	3	6
3	8	2	4	6	9	1	7	5

77

9	3	4	6	5	1	2	8	7
5	1	2	8	7	3	6	4	9
6	8	7	9	2	4	1	3	5
3	5	6	1	8	9	4	7	2
2	9	1	3	4	7	5	6	8
7	4	8	2	6	5	9	1	3
1	7	9	5	3	6	8	2	4
8	6	3	4	9	2	7	5	1
4	2	5	7	1	8	3	9	6

78

7	3	6	9	1	4	2	8	5
4	5	8	6	2	3	9	7	1
1	2	9	8	7	5	3	6	4
9	4	3	1	8	2	6	5	7
6	1	2	3	5	7	4	9	8
8	7	5	4	6	9	1	2	3
2	8	1	5	3	6	7	4	9
5	9	7	2	4	1	8	3	6
3	6	4	7	9	8	5	1	2

79

7	8	5	3	2	9	6	4	1
4	9	2	7	6	1	3	8	5
1	3	6	5	4	8	7	2	9
8	2	3	1	7	6	9	5	4
6	7	1	9	5	4	2	3	8
9	5	4	8	3	2	1	6	7
5	4	7	2	1	3	8	9	6
3	1	9	6	8	5	4	7	2
2	6	8	4	9	7	5	1	3

80

3	9	5	4	8	1	2	6	7
4	1	2	6	7	5	3	9	8
7	6	8	3	2	9	4	5	1
9	2	4	8	1	3	6	7	5
1	8	6	7	5	4	9	2	3
5	3	7	2	9	6	1	8	4
8	5	1	9	3	2	7	4	6
2	4	3	5	6	7	8	1	9
6	7	9	1	4	8	5	3	2

81

8	1	6	5	2	4	9	7	3
9	7	5	3	6	1	8	2	4
4	3	2	9	8	7	6	1	5
6	9	1	8	7	3	4	5	2
7	8	3	4	5	2	1	9	6
2	5	4	1	9	6	3	8	7
5	6	9	2	4	8	7	3	1
3	2	7	6	1	9	5	4	8
1	4	8	7	3	5	2	6	9

82

2	8	3	4	7	9	6	1	5
9	1	5	8	6	3	7	2	4
4	6	7	2	1	5	8	3	9
1	4	9	5	8	7	2	6	3
5	7	8	3	2	6	4	9	1
6	3	2	9	4	1	5	7	8
3	9	6	7	5	8	1	4	2
8	2	1	6	9	4	3	5	7
7	5	4	1	3	2	9	8	6

83

1	8	4	6	9	3	5	7	2
5	7	6	4	1	2	9	3	8
3	2	9	8	7	5	4	1	6
2	4	1	3	6	8	7	9	5
6	3	8	7	5	9	2	4	1
7	9	5	2	4	1	6	8	3
4	1	2	5	8	7	3	6	9
8	6	3	9	2	4	1	5	7
9	5	7	1	3	6	8	2	4

84

5	2	4	6	7	1	9	3	8
6	7	3	2	8	9	5	4	1
9	8	1	5	3	4	7	2	6
1	9	2	4	5	7	8	6	3
3	6	7	8	9	2	4	1	5
8	4	5	3	1	6	2	7	9
4	5	9	7	6	3	1	8	2
2	1	6	9	4	8	3	5	7
7	3	8	1	2	5	6	9	4

85

6	3	7	9	2	5	4	8	1
4	8	1	3	7	6	2	9	5
9	5	2	1	8	4	7	3	6
3	9	6	7	5	1	8	4	2
7	2	5	4	6	8	3	1	9
8	1	4	2	3	9	6	5	7
2	6	9	5	4	3	1	7	8
1	7	3	8	9	2	5	6	4
5	4	8	6	1	7	9	2	3

86

9	5	7	2	6	8	3	1	4
8	3	1	5	7	4	2	9	6
4	2	6	1	9	3	5	8	7
6	1	9	7	3	5	4	2	8
7	4	3	6	8	2	1	5	9
2	8	5	4	1	9	7	6	3
3	9	4	8	5	1	6	7	2
1	6	8	3	2	7	9	4	5
5	7	2	9	4	6	8	3	1

87

8	2	6	5	3	9	1	7	4
3	7	9	4	1	6	5	2	8
1	5	4	8	7	2	9	3	6
4	6	2	9	5	7	3	8	1
5	9	1	6	8	3	7	4	2
7	3	8	1	2	4	6	5	9
6	1	3	2	4	5	8	9	7
9	4	7	3	6	8	2	1	5
2	8	5	7	9	1	4	6	3

88

4	5	9	7	2	8	3	6	1
3	7	8	5	1	6	9	4	2
6	1	2	9	4	3	5	7	8
9	3	5	2	6	4	8	1	7
8	6	7	1	5	9	2	3	4
2	4	1	8	3	7	6	9	5
1	9	6	4	8	2	7	5	3
7	8	4	3	9	5	1	2	6
5	2	3	6	7	1	4	8	9

89

9	1	6	5	3	8	7	2	4
4	8	2	6	7	1	3	9	5
7	3	5	2	9	4	8	1	6
3	4	1	8	6	2	5	7	9
6	5	7	4	1	9	2	3	8
2	9	8	7	5	3	6	4	1
1	2	3	9	8	6	4	5	7
5	6	4	1	2	7	9	8	3
8	7	9	3	4	5	1	6	2

90

8	2	3	1	5	9	7	6	4
4	7	5	3	2	6	1	9	8
1	9	6	8	7	4	5	2	3
7	5	1	9	4	3	6	8	2
6	4	2	7	1	8	3	5	9
3	8	9	2	6	5	4	7	1
2	3	7	5	9	1	8	4	6
9	6	8	4	3	7	2	1	5
5	1	4	6	8	2	9	3	7

91

2	7	5	4	6	9	3	8	1
8	9	1	2	5	3	6	4	7
3	6	4	1	8	7	9	2	5
4	1	3	5	7	2	8	6	9
7	5	9	8	3	6	4	1	2
6	8	2	9	4	1	5	7	3
1	4	6	3	2	5	7	9	8
9	3	7	6	1	8	2	5	4
5	2	8	7	9	4	1	3	6

92

7	6	9	3	8	2	4	5	1
3	2	5	6	4	1	9	7	8
8	1	4	5	7	9	2	3	6
2	3	8	9	5	4	6	1	7
9	5	7	1	6	8	3	4	2
1	4	6	2	3	7	5	8	9
6	8	3	7	9	5	1	2	4
5	7	2	4	1	6	8	9	3
4	9	1	8	2	3	7	6	5

93

3	1	5	8	9	2	4	6	7
2	8	4	7	1	6	3	5	9
6	9	7	4	5	3	1	8	2
5	4	8	1	3	7	2	9	6
1	7	6	2	8	9	5	3	4
9	2	3	5	6	4	7	1	8
8	6	2	3	4	1	9	7	5
7	3	9	6	2	5	8	4	1
4	5	1	9	7	8	6	2	3

94

7	8	3	6	5	4	1	2	9
5	4	6	1	9	2	3	7	8
9	1	2	7	3	8	6	4	5
8	3	7	9	6	1	2	5	4
2	5	9	8	4	3	7	1	6
4	6	1	5	2	7	8	9	3
1	9	4	2	8	6	5	3	7
3	2	8	4	7	5	9	6	1
6	7	5	3	1	9	4	8	2

95

4	1	3	9	8	7	5	2	6
6	5	9	1	4	2	7	8	3
7	2	8	5	6	3	4	1	9
3	8	5	4	7	1	9	6	2
9	4	6	3	2	8	1	5	7
2	7	1	6	9	5	3	4	8
5	6	7	2	1	9	8	3	4
8	3	4	7	5	6	2	9	1
1	9	2	8	3	4	6	7	5

96

1	4	6	2	7	8	3	5	9
5	2	9	3	6	4	1	7	8
3	7	8	5	9	1	6	2	4
9	3	5	7	1	2	4	8	6
7	8	2	4	3	6	5	9	1
6	1	4	9	8	5	7	3	2
2	6	3	8	4	7	9	1	5
4	5	7	1	2	9	8	6	3
8	9	1	6	5	3	2	4	7

97

8	6	1	2	9	5	7	4	3
5	2	3	4	7	6	8	9	1
4	9	7	1	8	3	2	6	5
9	1	8	5	3	2	6	7	4
7	3	5	6	4	9	1	2	8
6	4	2	8	1	7	5	3	9
1	8	6	9	2	4	3	5	7
2	7	4	3	5	1	9	8	6
3	5	9	7	6	8	4	1	2

98

4	6	2	7	8	9	1	5	3
9	3	8	6	1	5	7	2	4
7	5	1	2	3	4	6	9	8
2	9	3	4	7	8	5	6	1
6	1	5	9	2	3	8	4	7
8	4	7	5	6	1	9	3	2
3	2	6	8	5	7	4	1	9
5	7	9	1	4	2	3	8	6
1	8	4	3	9	6	2	7	5

99

7	5	2	4	8	9	3	6	1
9	3	8	6	7	1	2	5	4
4	6	1	3	2	5	7	8	9
1	4	6	8	9	3	5	7	2
5	2	7	1	6	4	8	9	3
8	9	3	2	5	7	1	4	6
3	7	9	5	4	2	6	1	8
2	8	4	7	1	6	9	3	5
6	1	5	9	3	8	4	2	7

100

2	3	5	4	6	9	8	7	1
4	9	6	1	7	8	2	3	5
1	7	8	5	3	2	6	4	9
8	1	2	9	5	7	4	6	3
7	5	3	6	1	4	9	8	2
6	4	9	2	8	3	5	1	7
5	6	4	7	9	1	3	2	8
9	8	7	3	2	6	1	5	4
3	2	1	8	4	5	7	9	6

101

5	9	4	1	3	7	2	8	6
3	2	6	8	4	9	5	1	7
8	1	7	2	5	6	4	9	3
4	7	8	9	1	3	6	5	2
9	5	2	6	8	4	7	3	1
6	3	1	7	2	5	8	4	9
1	4	9	5	6	2	3	7	8
7	6	3	4	9	8	1	2	5
2	8	5	3	7	1	9	6	4

102

4	2	8	3	1	6	7	5	9
1	5	7	9	2	4	3	8	6
9	6	3	8	5	7	2	1	4
6	3	9	2	4	8	1	7	5
7	1	5	6	3	9	4	2	8
2	8	4	5	7	1	9	6	3
8	4	1	7	9	5	6	3	2
3	7	6	4	8	2	5	9	1
5	9	2	1	6	3	8	4	7

103

2	1	8	3	9	6	4	5	7
3	6	4	5	8	7	1	9	2
5	7	9	2	4	1	6	3	8
6	3	7	8	1	2	5	4	9
9	8	2	4	6	5	3	7	1
1	4	5	9	7	3	2	8	6
7	5	1	6	3	8	9	2	4
4	2	6	7	5	9	8	1	3
8	9	3	1	2	4	7	6	5

104

1	3	5	2	8	9	7	6	4
6	4	7	1	3	5	8	2	9
9	8	2	7	4	6	1	3	5
2	6	3	9	5	8	4	7	1
4	1	9	6	7	3	2	5	8
5	7	8	4	1	2	6	9	3
3	9	4	8	6	7	5	1	2
8	5	6	3	2	1	9	4	7
7	2	1	5	9	4	3	8	6

105

7	1	8	3	6	2	9	4	5
4	6	3	5	1	9	2	8	7
2	5	9	4	8	7	6	3	1
5	9	6	8	3	1	4	7	2
1	8	4	7	2	6	3	5	9
3	2	7	9	4	5	8	1	6
9	4	2	1	5	8	7	6	3
8	7	5	6	9	3	1	2	4
6	3	1	2	7	4	5	9	8

106

6	9	7	4	8	1	5	2	3
3	2	1	9	5	7	4	6	8
5	4	8	2	6	3	1	7	9
2	6	4	1	9	8	7	3	5
7	5	9	6	3	2	8	1	4
1	8	3	7	4	5	2	9	6
8	1	5	3	7	6	9	4	2
4	7	6	8	2	9	3	5	1
9	3	2	5	1	4	6	8	7

107

8	4	7	3	5	6	1	2	9
6	2	9	1	7	8	4	3	5
5	1	3	9	2	4	6	7	8
7	8	1	4	6	3	9	5	2
4	3	6	5	9	2	7	8	1
9	5	2	7	8	1	3	4	6
1	7	8	2	4	9	5	6	3
3	6	4	8	1	5	2	9	7
2	9	5	6	3	7	8	1	4

108

7	6	5	3	2	9	4	1	8
8	9	1	4	5	7	6	3	2
4	2	3	6	1	8	7	9	5
2	4	7	5	6	1	9	8	3
1	3	8	7	9	4	2	5	6
9	5	6	2	8	3	1	7	4
3	8	2	1	7	6	5	4	9
5	1	4	9	3	2	8	6	7
6	7	9	8	4	5	3	2	1

109

8	4	7	3	6	2	1	5	9
6	5	1	9	7	4	2	8	3
9	2	3	5	8	1	6	7	4
4	7	8	2	5	6	9	3	1
1	6	9	7	3	8	5	4	2
5	3	2	4	1	9	8	6	7
3	1	4	6	9	5	7	2	8
7	8	5	1	2	3	4	9	6
2	9	6	8	4	7	3	1	5

110

7	6	2	3	9	8	4	5	1
1	4	5	6	2	7	9	8	3
9	8	3	5	1	4	7	6	2
4	5	1	2	7	6	8	3	9
8	3	9	1	4	5	6	2	7
6	2	7	9	8	3	5	1	4
3	9	8	4	5	1	2	7	6
2	7	6	8	3	9	1	4	5
5	1	4	7	6	2	3	9	8

111

4	7	1	3	2	5	9	8	6
5	2	8	6	4	9	3	1	7
3	9	6	8	7	1	2	5	4
1	3	4	7	5	2	6	9	8
9	8	7	4	6	3	1	2	5
2	6	5	1	9	8	4	7	3
6	4	9	2	8	7	5	3	1
7	1	2	5	3	6	8	4	9
8	5	3	9	1	4	7	6	2

112

9	3	2	7	6	4	1	5	8
5	7	4	8	1	2	6	9	3
8	6	1	3	5	9	2	4	7
1	5	9	2	3	8	7	6	4
2	8	7	9	4	6	3	1	5
3	4	6	1	7	5	8	2	9
7	9	3	5	2	1	4	8	6
4	1	5	6	8	7	9	3	2
6	2	8	4	9	3	5	7	1

113

7	5	9	8	6	1	2	4	3
1	2	3	9	5	4	7	8	6
6	4	8	7	3	2	1	5	9
8	9	6	4	7	5	3	1	2
2	3	7	6	1	8	5	9	4
5	1	4	2	9	3	6	7	8
3	7	2	5	8	9	4	6	1
4	8	5	1	2	6	9	3	7
9	6	1	3	4	7	8	2	5

114

5	4	9	6	3	1	8	2	7
3	1	6	2	7	8	4	9	5
7	8	2	9	5	4	1	6	3
1	2	3	7	8	9	6	5	4
8	9	7	5	4	6	2	3	1
4	6	5	3	1	2	9	7	8
9	5	8	4	6	3	7	1	2
6	3	4	1	2	7	5	8	9
2	7	1	8	9	5	3	4	6

115

3	5	8	9	6	1	2	4	7
2	4	9	3	8	7	1	5	6
1	6	7	4	2	5	8	3	9
9	8	5	2	1	4	7	6	3
4	3	1	7	5	6	9	2	8
7	2	6	8	9	3	5	1	4
5	9	4	1	3	8	6	7	2
6	7	2	5	4	9	3	8	1
8	1	3	6	7	2	4	9	5

116

9	7	8	4	3	2	1	5	6
6	1	2	9	8	5	7	4	3
5	4	3	6	7	1	8	2	9
1	8	9	5	6	7	4	3	2
7	6	5	3	2	4	9	8	1
2	3	4	8	1	9	5	6	7
8	2	1	7	4	3	6	9	5
3	5	6	1	9	8	2	7	4
4	9	7	2	5	6	3	1	8

117

5	8	4	9	6	1	2	7	3
7	1	3	4	5	2	9	6	8
2	9	6	8	7	3	4	5	1
1	7	2	3	8	5	6	4	9
3	5	9	6	2	4	1	8	7
4	6	8	1	9	7	5	3	2
9	4	5	7	1	8	3	2	6
8	3	1	2	4	6	7	9	5
6	2	7	5	3	9	8	1	4

118

4	2	7	9	6	3	8	1	5
8	3	9	5	1	4	7	6	2
5	1	6	8	7	2	3	9	4
6	8	3	4	5	7	1	2	9
2	9	1	3	8	6	4	5	7
7	4	5	2	9	1	6	8	3
3	6	4	1	2	9	5	7	8
1	5	2	7	3	8	9	4	6
9	7	8	6	4	5	2	3	1

119

3	6	1	4	8	5	7	2	9
4	5	8	2	7	9	1	3	6
2	9	7	3	1	6	8	4	5
9	1	3	6	4	8	2	5	7
5	7	2	9	3	1	4	6	8
6	8	4	5	2	7	3	9	1
8	2	5	7	9	3	6	1	4
7	3	9	1	6	4	5	8	2
1	4	6	8	5	2	9	7	3

120

6	7	8	2	1	4	5	3	9
3	9	5	8	6	7	4	2	1
4	2	1	9	5	3	6	7	8
8	6	7	4	2	1	9	5	3
1	4	2	3	9	5	8	6	7
5	3	9	7	8	6	1	4	2
2	1	4	5	3	9	7	8	6
7	8	6	1	4	2	3	9	5
9	5	3	6	7	8	2	1	4

121

9	3	5	7	8	1	4	2	6
2	7	1	6	4	9	5	3	8
6	4	8	3	5	2	9	7	1
7	8	2	5	1	3	6	9	4
5	1	3	4	9	6	2	8	7
4	9	6	2	7	8	3	1	5
8	6	9	1	3	5	7	4	2
1	5	4	9	2	7	8	6	3
3	2	7	8	6	4	1	5	9

122

9	5	1	6	4	3	7	8	2
6	3	4	8	7	2	9	5	1
7	8	2	9	1	5	4	6	3
2	7	8	1	5	9	3	4	6
1	9	5	4	3	6	2	7	8
4	6	3	7	2	8	1	9	5
3	4	6	2	8	7	5	1	9
8	2	7	5	9	1	6	3	4
5	1	9	3	6	4	8	2	7

123

9	8	7	2	3	1	6	4	5
3	2	4	6	9	5	8	1	7
1	5	6	8	7	4	2	9	3
4	6	5	7	1	2	3	8	9
2	1	9	3	6	8	7	5	4
7	3	8	4	5	9	1	6	2
5	9	3	1	2	6	4	7	8
8	7	1	5	4	3	9	2	6
6	4	2	9	8	7	5	3	1

124

9	6	8	2	5	1	7	4	3
3	5	1	4	9	7	8	2	6
7	4	2	3	8	6	5	1	9
1	9	5	7	2	4	3	6	8
2	8	4	9	6	3	1	5	7
6	3	7	8	1	5	4	9	2
8	7	6	1	4	2	9	3	5
4	2	9	5	3	8	6	7	1
5	1	3	6	7	9	2	8	4

125

2	4	7	1	9	5	3	8	6
6	5	3	8	7	4	1	2	9
8	1	9	2	6	3	4	7	5
4	6	8	5	1	7	2	9	3
1	7	2	3	8	9	5	6	4
3	9	5	4	2	6	8	1	7
9	3	1	7	5	8	6	4	2
7	8	4	6	3	2	9	5	1
5	2	6	9	4	1	7	3	8

126

9	2	8	1	6	7	4	3	5
4	3	1	9	5	8	6	7	2
7	6	5	3	4	2	1	9	8
1	7	4	5	2	3	8	6	9
8	9	2	6	7	1	3	5	4
6	5	3	8	9	4	7	2	1
3	8	7	2	1	9	5	4	6
2	1	6	4	3	5	9	8	7
5	4	9	7	8	6	2	1	3

127

7	2	8	1	6	4	3	5	9
5	9	4	3	8	7	6	1	2
6	3	1	2	5	9	4	8	7
1	4	7	5	3	8	2	9	6
3	6	5	9	4	2	1	7	8
2	8	9	6	7	1	5	3	4
9	7	3	4	1	6	8	2	5
4	5	2	8	9	3	7	6	1
8	1	6	7	2	5	9	4	3

128

9	5	2	6	4	7	3	1	8
3	6	8	2	5	1	4	9	7
1	4	7	8	3	9	2	5	6
4	2	1	3	7	6	9	8	5
5	8	6	4	9	2	1	7	3
7	3	9	5	1	8	6	2	4
6	7	4	1	2	5	8	3	9
8	1	5	9	6	3	7	4	2
2	9	3	7	8	4	5	6	1

129

5	6	3	7	8	4	1	9	2
9	8	7	1	6	2	4	3	5
2	4	1	9	5	3	6	8	7
8	7	4	6	9	5	3	2	1
1	5	6	3	2	8	7	4	9
3	9	2	4	7	1	5	6	8
6	2	8	5	4	7	9	1	3
4	1	5	8	3	9	2	7	6
7	3	9	2	1	6	8	5	4

130

4	5	2	1	8	9	3	6	7
3	9	8	7	6	4	2	1	5
7	6	1	2	5	3	4	9	8
9	4	3	5	1	8	7	2	6
5	2	7	9	4	6	8	3	1
1	8	6	3	2	7	5	4	9
2	3	9	8	7	1	6	5	4
6	7	5	4	9	2	1	8	3
8	1	4	6	3	5	9	7	2

131

4	9	7	1	8	6	5	3	2
5	3	2	7	4	9	1	6	8
8	6	1	5	3	2	9	7	4
1	7	8	9	6	4	3	2	5
6	2	9	3	1	5	8	4	7
3	5	4	2	7	8	6	9	1
2	8	3	6	5	7	4	1	9
9	4	6	8	2	1	7	5	3
7	1	5	4	9	3	2	8	6

132

9	1	7	5	3	8	2	6	4
8	5	3	2	6	4	1	7	9
2	4	6	9	7	1	8	3	5
4	3	2	1	5	7	9	8	6
7	6	5	8	9	2	3	4	1
1	8	9	3	4	6	7	5	2
3	7	4	6	2	9	5	1	8
6	9	8	7	1	5	4	2	3
5	2	1	4	8	3	6	9	7

133

6	4	9	3	8	7	5	1	2
3	1	2	9	5	6	7	8	4
7	8	5	2	4	1	3	6	9
9	7	6	8	1	5	4	2	3
4	5	3	6	2	9	8	7	1
1	2	8	7	3	4	6	9	5
2	6	4	5	9	8	1	3	7
8	3	1	4	7	2	9	5	6
5	9	7	1	6	3	2	4	8

134

1	6	7	2	3	9	5	4	8
9	8	2	5	7	4	3	6	1
5	4	3	6	1	8	9	2	7
8	3	9	7	4	1	6	5	2
7	5	6	8	2	3	4	1	9
2	1	4	9	5	6	8	7	3
3	9	1	4	6	7	2	8	5
4	2	8	1	9	5	7	3	6
6	7	5	3	8	2	1	9	4

135

5	4	8	1	6	3	2	9	7
1	2	3	4	7	9	8	5	6
7	9	6	2	5	8	1	3	4
2	5	7	8	4	1	9	6	3
3	8	4	6	9	5	7	1	2
6	1	9	3	2	7	4	8	5
9	6	5	7	1	2	3	4	8
4	3	2	9	8	6	5	7	1
8	7	1	5	3	4	6	2	9

136

4	9	6	2	5	1	7	8	3
5	2	8	3	7	4	9	1	6
7	1	3	9	8	6	4	2	5
2	8	1	4	3	7	5	6	9
9	6	4	5	1	8	3	7	2
3	7	5	6	9	2	1	4	8
8	3	2	7	4	5	6	9	1
1	5	7	8	6	9	2	3	4
6	4	9	1	2	3	8	5	7

137

1	4	5	2	6	8	7	3	9
7	9	8	1	3	4	2	6	5
6	2	3	9	5	7	8	4	1
3	6	2	5	4	9	1	7	8
8	5	1	3	7	6	9	2	4
9	7	4	8	1	2	6	5	3
5	8	9	6	2	3	4	1	7
2	1	7	4	8	5	3	9	6
4	3	6	7	9	1	5	8	2

138

9	4	2	3	6	8	7	5	1
5	7	8	2	9	1	6	3	4
1	6	3	5	7	4	9	8	2
7	3	1	8	4	5	2	9	6
4	5	9	6	2	7	3	1	8
2	8	6	9	1	3	4	7	5
6	2	5	7	8	9	1	4	3
8	9	4	1	3	2	5	6	7
3	1	7	4	5	6	8	2	9

139

3	4	7	6	9	8	5	1	2
2	9	8	1	5	7	6	4	3
1	5	6	2	4	3	7	8	9
9	8	3	5	1	2	4	6	7
7	6	5	4	3	9	8	2	1
4	1	2	7	8	6	3	9	5
8	2	9	3	7	4	1	5	6
5	7	4	9	6	1	2	3	8
6	3	1	8	2	5	9	7	4

140

9	6	3	1	4	2	5	8	7
5	7	2	6	3	8	4	1	9
8	1	4	5	9	7	2	6	3
3	2	1	8	7	5	6	9	4
4	5	9	2	6	3	8	7	1
7	8	6	4	1	9	3	2	5
2	3	8	9	5	1	7	4	6
1	4	7	3	8	6	9	5	2
6	9	5	7	2	4	1	3	8

141

5	8	9	6	2	4	1	7	3
3	4	7	1	5	9	8	6	2
2	6	1	8	3	7	4	9	5
4	7	8	3	6	2	5	1	9
9	3	2	5	4	1	7	8	6
1	5	6	9	7	8	3	2	4
6	1	5	2	8	3	9	4	7
8	2	4	7	9	5	6	3	1
7	9	3	4	1	6	2	5	8

142

4	6	5	7	8	9	1	2	3
7	2	8	4	3	1	5	6	9
9	1	3	6	5	2	7	8	4
6	8	7	2	1	3	9	4	5
3	4	9	8	6	5	2	1	7
2	5	1	9	7	4	8	3	6
8	7	2	5	4	6	3	9	1
5	3	4	1	9	8	6	7	2
1	9	6	3	2	7	4	5	8

143

7	3	2	1	5	8	9	6	4
8	5	9	2	4	6	1	3	7
1	6	4	3	9	7	2	8	5
6	9	5	8	1	3	7	4	2
4	7	1	6	2	9	3	5	8
2	8	3	5	7	4	6	9	1
5	4	7	9	3	1	8	2	6
3	1	8	4	6	2	5	7	9
9	2	6	7	8	5	4	1	3

144

5	1	8	9	4	3	7	2	6
3	4	6	2	1	7	8	5	9
7	9	2	6	5	8	1	4	3
1	7	3	8	9	2	4	6	5
2	6	4	1	3	5	9	7	8
8	5	9	7	6	4	3	1	2
9	8	7	4	2	6	5	3	1
6	3	1	5	7	9	2	8	4
4	2	5	3	8	1	6	9	7

145

4	7	5	6	2	3	8	9	1
2	9	8	1	7	4	3	5	6
3	6	1	5	9	8	7	2	4
8	2	6	3	1	9	4	7	5
5	3	4	2	8	7	6	1	9
9	1	7	4	5	6	2	3	8
1	5	3	8	4	2	9	6	7
7	8	2	9	6	1	5	4	3
6	4	9	7	3	5	1	8	2

146

2	4	9	5	8	3	6	1	7
1	7	8	6	9	4	5	3	2
5	3	6	7	1	2	8	9	4
4	9	7	8	2	5	3	6	1
3	8	2	1	7	6	9	4	5
6	1	5	3	4	9	7	2	8
8	2	4	9	6	7	1	5	3
9	5	1	2	3	8	4	7	6
7	6	3	4	5	1	2	8	9

147

9	7	4	1	2	6	5	3	8
8	6	3	7	5	4	1	9	2
1	2	5	9	3	8	4	6	7
5	1	6	8	9	2	7	4	3
3	8	9	6	4	7	2	1	5
7	4	2	3	1	5	9	8	6
2	3	1	5	6	9	8	7	4
6	5	7	4	8	1	3	2	9
4	9	8	2	7	3	6	5	1

148

8	2	9	1	3	5	6	4	7
3	4	1	7	9	6	5	8	2
6	7	5	2	8	4	1	9	3
4	5	2	3	6	7	9	1	8
7	9	6	8	2	1	4	3	5
1	8	3	4	5	9	2	7	6
9	3	8	6	1	2	7	5	4
2	1	7	5	4	8	3	6	9
5	6	4	9	7	3	8	2	1

149

4	3	1	6	9	2	8	7	5
2	5	9	4	8	7	1	3	6
7	6	8	3	1	5	9	2	4
3	8	4	7	2	6	5	1	9
1	9	7	8	5	4	3	6	2
6	2	5	9	3	1	7	4	8
9	7	2	5	4	3	6	8	1
5	1	6	2	7	8	4	9	3
8	4	3	1	6	9	2	5	7

150

4	5	9	1	2	8	3	6	7
2	8	7	3	6	9	4	1	5
6	3	1	4	5	7	2	9	8
1	9	5	8	7	4	6	3	2
7	2	4	6	1	3	5	8	9
3	6	8	2	9	5	7	4	1
5	7	3	9	8	6	1	2	4
8	1	6	7	4	2	9	5	3
9	4	2	5	3	1	8	7	6

151

9	3	1	8	5	4	6	7	2
8	2	6	9	1	7	5	3	4
7	4	5	3	6	2	1	8	9
6	9	3	2	4	8	7	5	1
5	1	2	6	7	3	9	4	8
4	8	7	5	9	1	2	6	3
1	7	8	4	2	6	3	9	5
2	5	4	7	3	9	8	1	6
3	6	9	1	8	5	4	2	7

152

6	9	5	8	1	7	3	2	4
4	3	1	6	2	5	9	7	8
8	2	7	3	4	9	6	5	1
7	1	9	2	8	4	5	6	3
3	4	8	5	7	6	1	9	2
5	6	2	1	9	3	8	4	7
1	7	4	9	6	8	2	3	5
2	5	6	7	3	1	4	8	9
9	8	3	4	5	2	7	1	6

153

7	6	3	4	5	1	2	8	9
1	8	9	2	6	3	7	4	5
2	4	5	9	8	7	1	3	6
6	5	1	7	3	9	8	2	4
8	3	4	1	2	6	9	5	7
9	2	7	5	4	8	3	6	1
5	1	2	8	7	4	6	9	3
4	7	6	3	9	2	5	1	8
3	9	8	6	1	5	4	7	2

154

1	8	9	2	3	6	4	5	7
6	4	3	1	5	7	2	8	9
7	5	2	8	9	4	3	6	1
9	6	7	3	8	5	1	4	2
4	3	5	6	2	1	9	7	8
2	1	8	4	7	9	5	3	6
3	2	6	5	1	8	7	9	4
8	9	1	7	4	3	6	2	5
5	7	4	9	6	2	8	1	3

155

3	7	2	6	8	9	1	5	4
8	1	4	2	7	5	9	3	6
9	5	6	3	1	4	8	2	7
2	8	9	1	4	3	7	6	5
6	3	1	8	5	7	4	9	2
5	4	7	9	2	6	3	8	1
1	6	5	7	3	8	2	4	9
4	2	8	5	9	1	6	7	3
7	9	3	4	6	2	5	1	8

156

8	6	2	9	7	1	5	3	4
5	4	9	3	2	8	1	7	6
7	3	1	6	5	4	9	8	2
4	7	3	2	9	5	6	1	8
2	9	8	1	6	7	4	5	3
1	5	6	4	8	3	2	9	7
9	2	7	8	1	6	3	4	5
3	1	5	7	4	2	8	6	9
6	8	4	5	3	9	7	2	1

157

3	9	6	7	5	2	1	8	4
7	8	5	9	1	4	6	3	2
4	2	1	3	6	8	5	7	9
8	6	3	1	4	5	9	2	7
2	7	4	8	9	6	3	1	5
1	5	9	2	7	3	8	4	6
5	4	8	6	3	7	2	9	1
6	1	2	4	8	9	7	5	3
9	3	7	5	2	1	4	6	8

158

5	4	2	3	8	6	9	7	1
3	8	6	1	7	9	2	5	4
9	7	1	5	2	4	6	8	3
2	5	4	9	6	7	1	3	8
8	1	7	2	3	5	4	6	9
6	3	9	4	1	8	5	2	7
7	9	3	6	5	1	8	4	2
1	2	5	8	4	3	7	9	6
4	6	8	7	9	2	3	1	5

159

6	4	7	1	2	8	3	5	9
9	5	2	3	7	4	8	1	6
8	3	1	6	9	5	2	4	7
4	2	9	8	1	3	7	6	5
3	1	5	7	4	6	9	8	2
7	6	8	2	5	9	1	3	4
5	7	3	9	6	1	4	2	8
2	8	6	4	3	7	5	9	1
1	9	4	5	8	2	6	7	3

160

5	3	4	9	6	8	7	1	2
7	8	6	2	1	5	4	9	3
1	9	2	7	4	3	5	8	6
8	2	9	3	5	4	1	6	7
4	6	5	1	9	7	2	3	8
3	1	7	8	2	6	9	4	5
2	4	3	5	8	9	6	7	1
9	5	8	6	7	1	3	2	4
6	7	1	4	3	2	8	5	9

161

5	7	3	6	9	8	4	1	2
8	6	2	1	5	4	9	7	3
4	9	1	3	7	2	8	6	5
1	3	4	5	6	7	2	8	9
2	5	9	4	8	1	6	3	7
7	8	6	9	2	3	5	4	1
3	4	5	2	1	6	7	9	8
6	2	7	8	3	9	1	5	4
9	1	8	7	4	5	3	2	6

162

2	5	9	6	8	1	7	3	4
6	7	4	9	3	5	2	1	8
1	8	3	4	2	7	9	5	6
5	9	6	8	7	3	1	4	2
8	3	1	5	4	2	6	7	9
7	4	2	1	6	9	5	8	3
9	6	7	3	1	4	8	2	5
4	2	5	7	9	8	3	6	1
3	1	8	2	5	6	4	9	7

163

1	4	3	9	7	8	6	2	5
6	5	7	1	3	2	9	4	8
2	8	9	6	4	5	3	1	7
5	6	1	4	9	3	8	7	2
7	2	4	5	8	6	1	3	9
9	3	8	7	2	1	5	6	4
3	9	2	8	1	7	4	5	6
4	1	5	2	6	9	7	8	3
8	7	6	3	5	4	2	9	1

164

1	9	7	6	3	2	5	8	4
2	6	8	5	9	4	3	7	1
4	5	3	8	1	7	6	2	9
6	3	2	7	8	9	1	4	5
7	4	1	2	5	6	8	9	3
5	8	9	1	4	3	2	6	7
9	1	5	4	2	8	7	3	6
8	7	4	3	6	1	9	5	2
3	2	6	9	7	5	4	1	8

165

4	9	6	7	1	8	3	5	2
3	8	7	2	5	6	4	1	9
1	2	5	9	3	4	7	6	8
9	7	2	1	4	3	5	8	6
5	3	8	6	7	2	9	4	1
6	4	1	8	9	5	2	7	3
2	5	4	3	6	1	8	9	7
7	1	3	5	8	9	6	2	4
8	6	9	4	2	7	1	3	5

166

1	8	2	3	6	9	7	5	4
3	7	4	1	8	5	6	9	2
6	9	5	2	4	7	1	8	3
2	1	9	4	3	6	5	7	8
5	4	6	9	7	8	3	2	1
8	3	7	5	1	2	4	6	9
9	5	1	7	2	3	8	4	6
4	2	8	6	5	1	9	3	7
7	6	3	8	9	4	2	1	5

167

9	5	3	4	1	6	8	2	7
8	2	6	5	7	9	4	3	1
1	7	4	2	8	3	5	9	6
7	4	9	1	3	5	2	6	8
5	6	2	8	4	7	9	1	3
3	1	8	9	6	2	7	4	5
4	8	7	3	9	1	6	5	2
2	9	1	6	5	8	3	7	4
6	3	5	7	2	4	1	8	9

168

4	7	8	9	5	1	2	6	3
1	5	2	4	6	3	7	8	9
3	6	9	2	7	8	1	5	4
7	3	6	8	2	5	4	9	1
9	4	5	1	3	7	8	2	6
8	2	1	6	4	9	5	3	7
2	9	4	7	8	6	3	1	5
5	1	7	3	9	2	6	4	8
6	8	3	5	1	4	9	7	2

169

5	9	6	1	7	8	4	2	3
2	3	7	5	6	4	8	9	1
1	8	4	9	3	2	7	5	6
3	4	8	6	5	1	2	7	9
7	1	9	4	2	3	6	8	5
6	5	2	8	9	7	1	3	4
9	7	5	2	4	6	3	1	8
8	6	3	7	1	9	5	4	2
4	2	1	3	8	5	9	6	7

170

3	4	6	2	8	5	7	1	9
8	5	7	4	9	1	3	6	2
2	1	9	6	7	3	4	5	8
1	7	8	3	6	4	9	2	5
4	6	5	9	1	2	8	3	7
9	2	3	7	5	8	6	4	1
6	8	1	5	3	7	2	9	4
7	3	2	1	4	9	5	8	6
5	9	4	8	2	6	1	7	3

171

5	7	9	1	3	4	6	8	2
6	4	2	9	8	7	5	3	1
1	3	8	2	5	6	7	4	9
2	8	7	3	9	5	4	1	6
4	9	1	6	7	8	3	2	5
3	6	5	4	2	1	8	9	7
9	2	6	5	4	3	1	7	8
8	1	4	7	6	2	9	5	3
7	5	3	8	1	9	2	6	4

172

9	4	1	8	2	3	7	6	5
5	7	6	4	1	9	3	8	2
2	8	3	6	5	7	1	9	4
4	1	9	7	3	5	6	2	8
6	2	5	1	8	4	9	7	3
8	3	7	9	6	2	4	5	1
1	6	4	2	9	8	5	3	7
7	5	8	3	4	6	2	1	9
3	9	2	5	7	1	8	4	6

173

6	1	7	8	2	3	4	5	9
9	4	8	7	6	5	1	3	2
3	2	5	9	1	4	7	6	8
2	9	4	1	3	6	8	7	5
5	6	1	2	8	7	9	4	3
7	8	3	4	5	9	2	1	6
4	7	6	3	9	2	5	8	1
8	5	9	6	4	1	3	2	7
1	3	2	5	7	8	6	9	4

174

1	3	2	6	9	7	5	8	4
8	6	5	3	2	4	9	1	7
7	9	4	8	1	5	3	2	6
4	7	6	9	3	1	2	5	8
5	8	3	7	4	2	6	9	1
2	1	9	5	6	8	7	4	3
6	4	1	2	5	3	8	7	9
9	5	8	4	7	6	1	3	2
3	2	7	1	8	9	4	6	5

175

6	5	9	3	4	8	7	2	1
4	2	7	6	5	1	8	9	3
8	1	3	2	9	7	6	4	5
1	9	5	8	2	4	3	6	7
2	8	4	7	6	3	1	5	9
3	7	6	9	1	5	2	8	4
7	3	2	4	8	9	5	1	6
9	6	1	5	3	2	4	7	8
5	4	8	1	7	6	9	3	2

176

9	1	7	8	5	3	2	6	4
3	2	8	6	9	4	1	5	7
5	4	6	7	2	1	9	8	3
7	8	9	3	4	2	5	1	6
4	6	2	1	8	5	7	3	9
1	5	3	9	7	6	4	2	8
2	7	5	4	6	8	3	9	1
6	9	1	2	3	7	8	4	5
8	3	4	5	1	9	6	7	2

177

1	4	8	7	5	2	6	9	3
6	7	9	4	1	3	5	2	8
2	3	5	9	8	6	4	1	7
4	2	1	3	9	7	8	6	5
3	9	7	8	6	5	1	4	2
8	5	6	1	2	4	3	7	9
9	8	2	5	4	1	7	3	6
7	6	4	2	3	8	9	5	1
5	1	3	6	7	9	2	8	4

178

8	5	4	6	3	2	7	1	9
7	1	9	5	8	4	6	3	2
6	2	3	9	7	1	8	5	4
5	3	2	7	1	9	4	6	8
1	9	6	8	4	5	2	7	3
4	7	8	3	2	6	1	9	5
2	8	7	1	9	3	5	4	6
3	4	5	2	6	7	9	8	1
9	6	1	4	5	8	3	2	7

179

2	6	8	3	9	5	7	4	1
4	3	1	7	8	6	2	5	9
7	5	9	1	4	2	8	3	6
5	1	3	6	2	8	4	9	7
8	9	2	4	3	7	1	6	5
6	4	7	5	1	9	3	8	2
3	2	5	9	7	4	6	1	8
1	8	6	2	5	3	9	7	4
9	7	4	8	6	1	5	2	3

180

9	8	3	5	1	6	7	2	4
1	4	6	2	7	3	8	9	5
5	7	2	9	8	4	1	3	6
8	2	1	4	6	9	3	5	7
4	6	9	7	3	5	2	1	8
7	3	5	8	2	1	6	4	9
2	9	7	1	4	8	5	6	3
3	5	8	6	9	2	4	7	1
6	1	4	3	5	7	9	8	2

181

8	5	4	2	9	3	6	7	1
7	3	6	1	4	8	5	9	2
2	1	9	7	6	5	3	4	8
4	6	1	5	8	7	9	2	3
5	7	8	3	2	9	4	1	6
3	9	2	6	1	4	7	8	5
1	2	7	4	5	6	8	3	9
9	4	5	8	3	2	1	6	7
6	8	3	9	7	1	2	5	4

182

1	6	9	8	3	2	7	4	5
4	5	8	6	9	7	1	2	3
2	7	3	4	1	5	8	9	6
9	4	6	3	8	1	2	5	7
5	8	1	7	2	9	3	6	4
3	2	7	5	6	4	9	8	1
6	1	5	9	7	8	4	3	2
7	9	4	2	5	3	6	1	8
8	3	2	1	4	6	5	7	9

183

4	6	9	1	3	8	7	2	5
3	2	7	9	4	5	8	6	1
1	8	5	2	7	6	4	9	3
2	1	6	7	9	3	5	8	4
9	4	8	5	1	2	3	7	6
7	5	3	8	6	4	9	1	2
5	9	2	3	8	1	6	4	7
8	3	4	6	2	7	1	5	9
6	7	1	4	5	9	2	3	8

184

5	2	7	9	1	8	4	3	6
4	8	3	5	7	6	2	9	1
1	9	6	3	2	4	5	8	7
3	6	1	4	5	7	8	2	9
2	7	5	8	9	1	6	4	3
8	4	9	6	3	2	1	7	5
7	5	4	1	8	9	3	6	2
6	3	2	7	4	5	9	1	8
9	1	8	2	6	3	7	5	4

185

6	8	5	4	9	2	7	1	3
9	3	1	6	7	5	8	2	4
7	4	2	3	8	1	6	9	5
1	5	7	8	2	3	4	6	9
4	2	3	5	6	9	1	8	7
8	9	6	7	1	4	3	5	2
3	6	9	1	5	7	2	4	8
2	1	4	9	3	8	5	7	6
5	7	8	2	4	6	9	3	1

186

7	2	8	1	9	3	4	6	5
1	4	5	8	7	6	3	2	9
6	9	3	4	5	2	7	8	1
9	8	4	7	3	1	6	5	2
5	1	7	6	2	9	8	3	4
3	6	2	5	8	4	1	9	7
4	3	9	2	1	8	5	7	6
8	5	6	9	4	7	2	1	3
2	7	1	3	6	5	9	4	8

187

8	3	4	9	1	2	6	7	5
2	9	7	6	5	8	3	4	1
5	1	6	3	7	4	9	2	8
1	2	3	5	9	7	4	8	6
9	6	8	4	2	1	7	5	3
4	7	5	8	3	6	2	1	9
3	4	9	7	8	5	1	6	2
7	5	2	1	6	9	8	3	4
6	8	1	2	4	3	5	9	7

188

1	4	8	9	3	7	5	6	2
5	9	7	6	2	1	4	3	8
2	6	3	4	5	8	9	7	1
6	7	1	2	4	3	8	9	5
9	3	2	7	8	5	6	1	4
4	8	5	1	9	6	3	2	7
3	2	4	8	7	9	1	5	6
7	1	9	5	6	4	2	8	3
8	5	6	3	1	2	7	4	9

189

8	4	6	7	5	9	1	2	3
5	7	3	2	8	1	6	4	9
9	1	2	4	3	6	7	8	5
2	3	1	9	7	5	8	6	4
7	6	8	1	4	3	9	5	2
4	5	9	6	2	8	3	1	7
6	9	7	5	1	2	4	3	8
1	8	5	3	9	4	2	7	6
3	2	4	8	6	7	5	9	1

190

5	9	8	6	4	1	3	7	2
1	2	3	7	9	8	4	5	6
6	7	4	5	3	2	1	8	9
7	5	2	8	1	9	6	4	3
3	4	1	2	5	6	8	9	7
9	8	6	4	7	3	5	2	1
4	1	5	9	6	7	2	3	8
2	6	7	3	8	4	9	1	5
8	3	9	1	2	5	7	6	4

191

2	3	6	1	5	9	7	8	4
7	5	8	4	2	3	6	1	9
9	1	4	7	8	6	2	5	3
1	6	7	9	4	2	8	3	5
5	2	3	6	1	8	4	9	7
8	4	9	3	7	5	1	2	6
4	7	2	5	3	1	9	6	8
3	9	1	8	6	7	5	4	2
6	8	5	2	9	4	3	7	1

192

8	4	9	7	2	3	6	1	5
5	6	3	1	8	9	4	7	2
1	7	2	5	4	6	8	3	9
3	1	7	4	9	2	5	6	8
9	5	6	8	1	7	2	4	3
2	8	4	6	3	5	1	9	7
4	3	1	9	5	8	7	2	6
6	2	5	3	7	1	9	8	4
7	9	8	2	6	4	3	5	1

193

8	9	2	6	4	1	3	7	5
4	6	3	9	5	7	8	2	1
5	1	7	3	2	8	9	6	4
7	3	9	8	1	2	4	5	6
1	5	4	7	9	6	2	3	8
6	2	8	4	3	5	7	1	9
3	7	6	5	8	4	1	9	2
9	4	1	2	6	3	5	8	7
2	8	5	1	7	9	6	4	3

194

8	9	5	7	3	6	4	2	1
6	1	3	2	4	8	5	7	9
4	2	7	5	1	9	6	8	3
2	7	8	1	6	4	3	9	5
9	5	6	3	7	2	8	1	4
1	3	4	9	8	5	2	6	7
7	8	1	6	5	3	9	4	2
3	6	2	4	9	1	7	5	8
5	4	9	8	2	7	1	3	6

195

3	8	7	5	6	9	1	2	4
5	1	6	8	4	2	7	3	9
9	4	2	3	7	1	8	6	5
4	3	1	6	2	5	9	8	7
6	7	8	1	9	4	2	5	3
2	5	9	7	8	3	4	1	6
7	2	3	9	5	8	6	4	1
8	9	5	4	1	6	3	7	2
1	6	4	2	3	7	5	9	8

196

2	3	9	6	1	5	4	8	7
6	4	8	9	7	3	1	2	5
5	1	7	4	8	2	6	3	9
4	5	2	3	6	9	7	1	8
7	6	1	5	2	8	9	4	3
9	8	3	1	4	7	5	6	2
8	7	4	2	5	6	3	9	1
1	9	5	8	3	4	2	7	6
3	2	6	7	9	1	8	5	4

197

2	9	5	8	1	4	7	3	6
1	6	3	7	5	2	4	8	9
7	4	8	9	3	6	1	2	5
9	3	2	4	7	1	5	6	8
8	1	6	5	2	9	3	4	7
5	7	4	6	8	3	9	1	2
3	8	1	2	9	5	6	7	4
4	5	7	1	6	8	2	9	3
6	2	9	3	4	7	8	5	1

198

2	1	6	4	3	7	5	8	9
5	7	9	6	8	2	1	4	3
8	4	3	1	5	9	6	2	7
6	2	5	8	9	3	7	1	4
3	8	7	5	1	4	9	6	2
1	9	4	2	7	6	3	5	8
9	5	8	7	4	1	2	3	6
4	3	2	9	6	5	8	7	1
7	6	1	3	2	8	4	9	5

199

1	6	5	8	9	7	3	4	2
4	3	7	1	6	2	9	5	8
2	8	9	5	4	3	6	7	1
6	7	4	9	5	8	2	1	3
8	1	3	7	2	4	5	9	6
9	5	2	6	3	1	7	8	4
3	9	8	4	7	6	1	2	5
5	2	1	3	8	9	4	6	7
7	4	6	2	1	5	8	3	9

200

4	9	1	6	2	5	3	7	8
6	2	5	8	3	7	1	9	4
7	8	3	1	9	4	6	2	5
1	4	6	9	5	8	7	3	2
9	5	2	7	4	3	8	1	6
3	7	8	2	1	6	5	4	9
8	1	9	3	6	2	4	5	7
2	6	4	5	7	1	9	8	3
5	3	7	4	8	9	2	6	1

201

2	1	8	3	7	6	5	4	9
7	5	6	9	8	4	3	2	1
3	4	9	2	1	5	6	7	8
6	3	5	7	2	8	9	1	4
9	2	4	6	5	1	8	3	7
8	7	1	4	3	9	2	6	5
4	9	7	5	6	3	1	8	2
5	8	3	1	4	2	7	9	6
1	6	2	8	9	7	4	5	3